JN164876

今日から
モノ知り
シリーズ

トコトンやさしい

自動運転の本

第2版

クライソン トロンナムチャイ 著

自動運転はセンサ、アクチュエータ、制御、通信など幅広い技術で成り立っています。本書はその技術の全体像が掴める入門書です。第2版では電気自動車の制御技術、進歩したLiDAR、開発が盛んなSLAM技術、これからを左右する安全性についても触れます。

B&Tブックス
日刊工業新聞社

はじめに

最近の車、とくに自動運転や電気自動車の分野においてはその変化はとても早く、本書初版出版から4年も経つと時代に合わなくなってきた話題も多くなりました。2018年当時では自動運転に対する認知度がまだそれほど高くありませんでしたが、今ではバスやタクシー等を使ったレベル4のドライバーレス自動運転車の実証実験が盛んに行われ、新聞などでも多く取り上げられるようになってきました。また、レベル2の自動運転システムを搭載した車が多く発売され、レベル3も市販が始まっています。これまではいろいろな車を一緒くたにして自動運転がいつ実現するのかが議論されてきましたが、今ではオーナーカーやサービスカーのように用途ごとに分けて語ることができるようになってきました。

自動運転には、高齢者や体が不自由な方の移動を支援できたり物流業界のドライバー不足を解消できたりするメリットも挙げられていますが、その最大の利点としては交通事故の削減が大変期待されています。しかし2018年にアリゾナ州でUberの自動運転実験車が歩行者死亡事故を起こして以来、大小様々な自動運転車の事故に関するニュースが大きく報道され、自動運転技術の安全性に対する懐疑的な意見も語られるようになってきています。これらの事故の多くはシステムの誤使用によるものと考えられており、例えばレベル2にしか対応していないシステムを過信してレベル4であるかのように扱い、ドライバーが注意義務を怠ることが事故につながったりしています。技術が進歩するのと同時にシステムを正しく理解し利用することが強く求められます。
そこで本書の第2版では先ず第1章を大幅に変更し、自動運転の基礎知識と現状をコンパクトにまとめ直しました。続いて第2章ではこれからガソリン車に取って代わられると考えられている電気自動車の制御技術を中心に紹介することにしました。第3章ではとくに進歩が著しいLiDARとセンサフュージョン技術に関する内容を補強して最新の情報を加えました。また第4章ではとくに開発が盛んに進められているSLAM技術とダイナミックマップに関する紹介を見直して修正を加えました。
第6章ではコネクテッドカーやカーセキュリティのほかに、自動運転技術のこれからを左右する安全性に関する議論を加筆しました。昨今では自動運転に対する認知度や社会の関心が進み、システムの安全性に対しての具体的な議論がなされるようになり、各種国際規格や開発のより具体的な方針が示されています。ここではとくにシステムやその構成要素が故障しても事故を起こさせない機能安全と呼ばれる考え方や、システムの性能の限界やドライバーの誤使用による事故を回避するSOTIF、安全第一の自動運転車開発を目指すSaFADについて紹介します。
最後にとくに第2版の企画や編集を担当いただいた日刊工業新聞社出版局書籍編集部の皆さんに深い感謝の意を表します。
またここで紹介した各種技術は多くの先輩や同僚、後輩らから教わったり議論させて頂いたりしたものです。ここに関係者各位に深くお礼申し上げます。

クライソン　トロンナムチャイ

トコトンやさしい

目次

第3章 走行環境に関する認知・判断技術

33 テンプレートマッチング「特定のパターンを見つけるための画像認識技術」……78
34 ステレオカメラ「距離も検出できるカメラシステム」……80
35 単眼カメラによる距離推定技術「2台カメラがなくても距離を検知できる」……82
36 LiDAR(ライダー)とは「自動運転への応用が期待されているセンサ」……84
37 各種次世代LiDAR「研究開発の状況」……86
38 センサフュージョン「複数種類のセンサの混用」……88
39 歩行者認識のための画像処理技術「画像から歩行者を見つける難しさとその方法」……90
40 畳み込み型深層学習による画像認識「画像認識に適した深層学習形式の人工知能」……92

第4章 航法に関する認知・判断技術

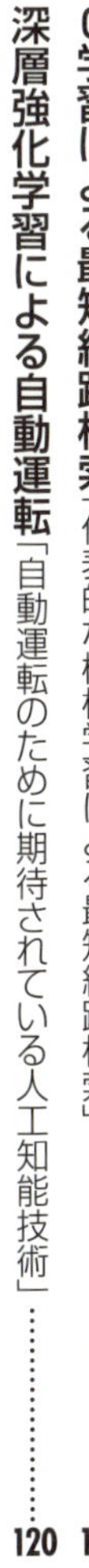

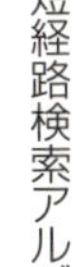

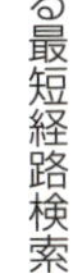

第5章 ヒューマンマシンインターフェース技術

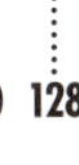

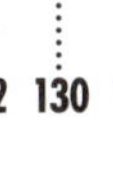

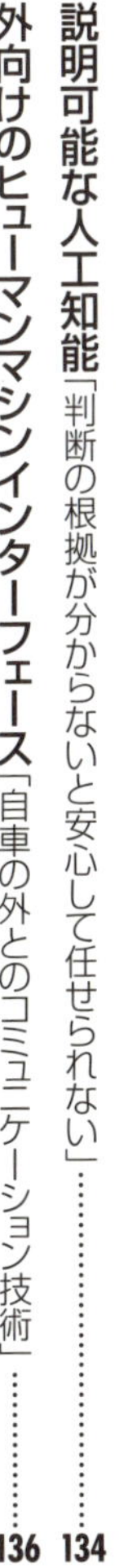
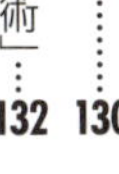

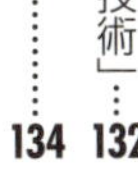
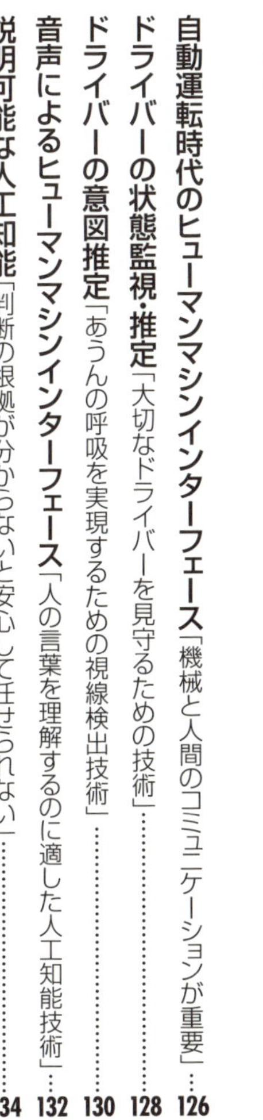

第6章 自動運転技術のこれから

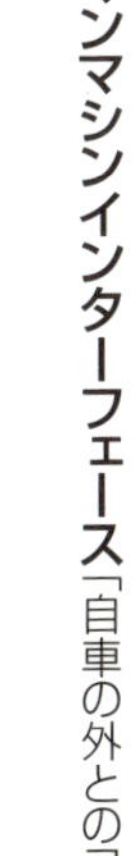

【コラム】

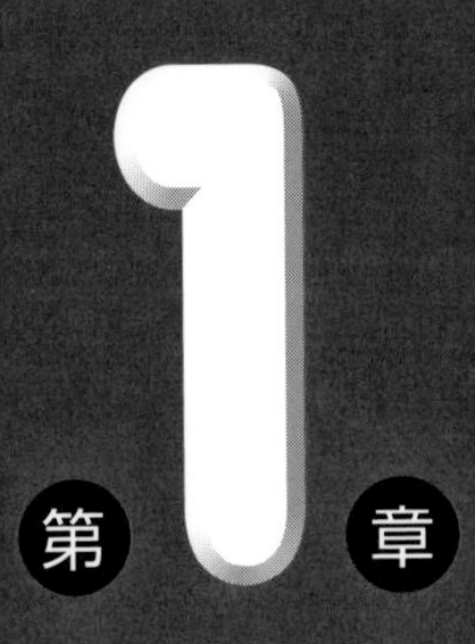

第1章 自動運転の基礎知識

―期待と現状、技術の全体像―

1 自動車技術開発の動向

合言葉はCASE

車は今100年に一度の大変革期にあると言われています。世界経済の発展とともにこれまでの車の保有台数が増加し続け、2035年ごろには世界中の車の保有台数が20億台にも達すると予測されています。

この車の台数増加によって次のような4つの問題が起きています（図1）。

① 交通事故の増加
② 交通渋滞の増加
③ 石油の枯渇
④ 地球温暖化などの環境問題

これらの問題を解決するために自動車業界ではCASEという新しい領域での技術開発が急速に進められています。CASEとは次の4つの英単語の頭文字をつなげた造語です（図2）。

1. Connected（つながる）

車に通信機器を搭載し、常時インターネットに接続することで交通や駐車場の空きなどの情報を得たり、事故発生時に自動的に通報できたりするようになります。

2. Autonomous（自動化）

自動運転によってヒューマンエラーによる事故を大幅に低減したり、高齢者や体の不自由な方の移動を支援したりできることが期待されています。

3. Shared／Service（共有化）

シェアリングエコノミーの進展とともに車もステータスシンボルではなく移動する手段として捉えられるようになり、所有から共有へと価値が変化しています。

4. Electrification（電動化）

石油に頼らずに車が電気で動くようになればCO_2（二酸化炭素）の排出を大幅に削減できてカーボンニュートラル、地球温暖化防止につながると大変期待されています。

- ●世界的な自動車の所有台数は増加傾向にある
- ●交通や環境の問題が深刻化している
- ●CASE技術で問題の解決が期待されている

図1　自動車の普及によって起きている諸課題

交通事故

渋滞

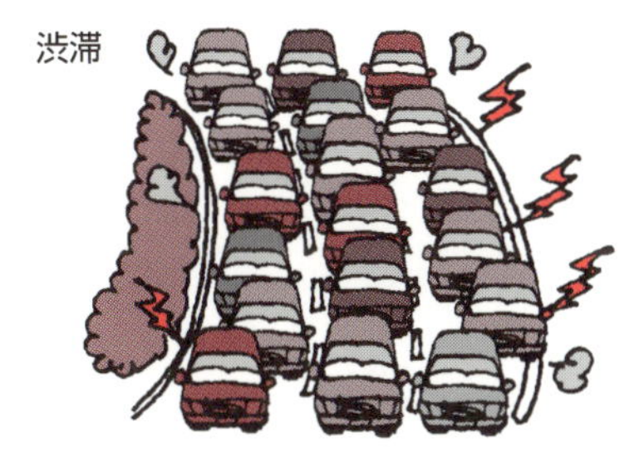

環境悪化

石油枯渇

図2　CASEとは

Shared／Service
共有化／サービス

Connected
インターネットに常時接続

Autonomous
自動運転

Electri-fication
電動化

2 移動を提供するための手段としての車

もう1つの合言葉、MaaS

MaaSとはMobility as a Serviceの略で、CASEと並んで現在の自動車業界の動向を表すキーワードの1つです。その意味は、電車やバスなどの公共交通手段、タクシーやレンタカーなどの従来の移動サービスに加え、自動運転やAI*などの最新テクノロジーを組み合わせてまとまった移動サービスとして提供し、シームレスに利用できるようにすることです（図1）。これによって利用者はルートの検索から予約、決済まで一貫して行うことができ、利便性が大幅に向上します。

2016年にフィンランドが世界初のMaaSのプラットフォームWhimを開発したことでMaaSが広く知られるようになりました。MaaSによって混雑が解消されたり交通弱者の移動を支援できたりする利点があるために大変注目され、世界各国で導入が進められています（図2）。

国土交通政策研究所がMaaSの普及を交通サービス統合のレベルに従って情報統合、予約や決済の統合、サービス提供の統合、そして政策統合の4段階に分けています。Whimはあらゆる公共交通機関やタクシー、レンタカーを1つのプラットフォームを介して利用できるのでサービス提供の統合レベルに相当します。

一方、2021年現在の日本では電車やバス、タクシー、レンタカーなどの複数の交通手段を横断して目的地までの最適なルートを検索できる情報統合の段階にとどまっていると見られています。

日本国内でのMaaSのさらなる普及を目指す事例としては名古屋大学発の物流ベンチャーとしても知られているオプティマインドが開発したLoogiaという配送業者向けドライバーアプリや、ワンアクションで最寄りの車両を呼べるタクシー配車アプリS.RIDEなどがあります。

要点BOX
- MaaSでルート検索から予約・決済までシームレスに一貫して行うことができる
- フィンランドが導入を先行している

図1　MaaSとは

出典：国土交通省「日本版 MaaS の推進」

図2　世界初のMaaSプラットフォームWhim

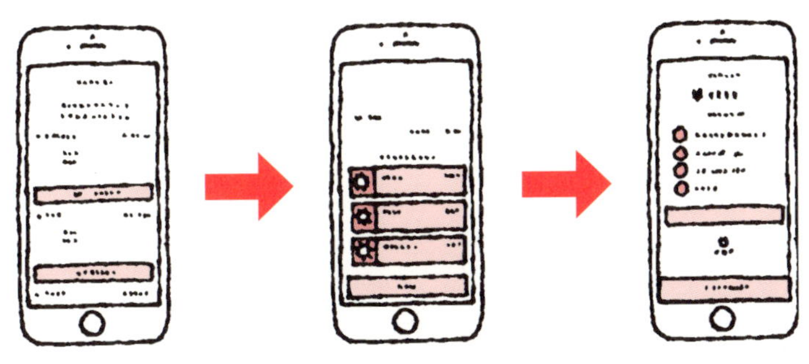

電車、バス、自転車、タクシーなどから希望のモードを選択する。また目的地を入力すると最適ルートが提案される

ルート候補の中から選択すれば、すぐに利用開始できる

料金は利用料に応じて清算。月額プランも選択可能

用語解説

AI：Artificial Intelligent（人工知能）とは認識や推論などの知的行動を人間に代わってコンピューターに行わせる技術

3 自動運転技術に期待されていること

自動化の価値

交通事故や渋滞の緩和、省エネなどのほかに自動運転技術には次の効果が期待されています。

1．運転負荷軽減による快適さの向上

高速道路での長時間運転や渋滞時の運転ではアクセルやブレーキを操作して車速を一定に保ったり前車についていったりしなければならず、大変負荷の大きい作業です。ADAS＊や自動運転技術はこのようなドライバーの運転負荷を軽減し、車の快適さを向上できると期待されています。

2．移動時間の有効活用

完全な自動運転が実現されれば移動中に本を読んだり休憩をとったりすることができるので移動時間を有効に利用できると期待されています（図1）。

3．高齢者などの移動制約者の移動支援

ADASや自動運転技術による運転支援さえあれば高齢者などでも車を安全に運転できると期待されています（図2）。また完全な自動運転が実現されれば移動制約者と言われる高齢者や目の見えない人などの移動を支援し、自由に行動できる範囲を広げることができると考えられています。

4．過疎地住民の移動支援

無人バスや無人タクシーが公共交通機関の乏しい過疎地の住民の足として大変期待されています。国土交通省／内閣府が2019年に秋田や北海道、茨城、滋賀の「道の駅」などを拠点にして住民や農産物などの荷物を運ぶ自動運転車の実証実験を開始しました。

5．運輸や物流産業の人手不足問題の解消

無人タクシーや無人宅配車が実現されればドライバー不足問題が解消されると期待されています。

6．道路や駐車場不足問題の解消

完全自動運転車には、運転席や事故に備えるための各種設備やスペースが要らなくなると考えられており、車を小型化できると思われます。

要点BOX

- ●交通や環境問題解決の他にも色々期待できる
- ●乗る人の快適性向上や時間の有効利用が可能
- ●高齢化や人口減少問題にも寄与する

図1　移動時間の有効活用

移動中に休憩することが可能になる

図2　移動制約者の移動支援

運転支援があれば高齢者も安全に運転できる

用語解説

ADAS：Advanced Driver Assistance System（先進運転支援システム）とは自動車自体が安全と快適を実現するために周囲の情報を把握し、ドライバーに的確に表示や警告を行ったりドライバーに代わって自動車を制御したりして運転を支援する機能の総称

4 自動運転技術のレベル

自動化の段階

これまで自動運転には様々な捉え方があって、人の操作を全く必要としない完全な自動運転だけでなくADASだけでも交通事故を未然に防ぐことができてドライバーの運転負荷を軽くする効果が期待されます。そこでSAE*は自動運転技術を6段階に分けて各レベルを明確に定義しました（図1）。

従来の運転支援はレベル0に含まれています。自動ブレーキや急発進防止システムなどのADASはレベル1として定義され、このレベルまでは人間のドライバーが運転操作の主体で、システムがアクセル・ブレーキまたはステアリングのどちらか一方のみを操作します。レベル2では複数のADAS機能を統合することで特定の環境下でシステムがアクセル、ブレーキ、ステアリングの全てを主体的に操作します。しかしドライバーが必ず走行環境を監視し続けていつでも運転操作に介入できなければなりません。レベル3ではドライバーが走行環境を監視していなくてもよくなり、メールをチェックしたり本を読んだりするようなセカンドタスクが部分的に許されます。しかし万が一システムに要求されればドライバーはいつでも運転を代わらなくてはなりません。レベル4以上ではドライバーがシステムからの運転交代要請に応じなくてもシステムが運転操作を続けることができます。

ドライバーとシステムの役割分担だけで言えばレベル4と5は一見同じに見えます（図2）。しかしレベル4では高速道路など特定の運転モードでのみシステムが自動運転しますが、悪天候などの条件によってはシステムが対応できない場合があります。レベル5ではこれまで人間のドライバーが運転できた全ての環境下でシステムが自動運転できます。

SAEのレベル分けが万人のイメージを共通にできたことで自動運転に対する認知度を高める結果につながっています。

要点BOX
- ●自動運転はレベル5まで分けられている
- ●レベル2は部分的や特定条件下での自動化
- ●レベル5は全ての環境下での完全自動運転

図1　SAE　J3016(2016年版)に基づく自動運転のレベル

レベル	自動化の段階	定義
5	完全な運転の自動化	ドライバーが運転できる全ての環境においてシステムが常に全ての運転タスクを実施する
4	高度な運転の自動化	ドライバーが介入要求に適切に応じなくてもシステムが問題なく全ての運転タスクを実施する
3	条件付きの運転の自動化	いつでもドライバーが介入要求に適切に応じることを前提としてシステムが全ての運転タスクを実施する
2	部分的な運転の自動化	残りの全ての運転タスクはドライバーが実施することを期待して一つまたは同時作動する複数のシステムが運転環境に関する情報を使ってステアリングと加減速の両方を実施する
1	ドライバー支援	残りの全ての運転タスクはドライバーが実施することを期待して個別のシステムが運転環境に関する情報を使ってステアリングまたは加減速のどちらか一方のみを実施する
0	運転の自動化なし	予防安全用警報や運転介入システムの有無に関わらずドライバーが全ての運転タスクを実施する

図2　ドライバーとシステムの責任分担

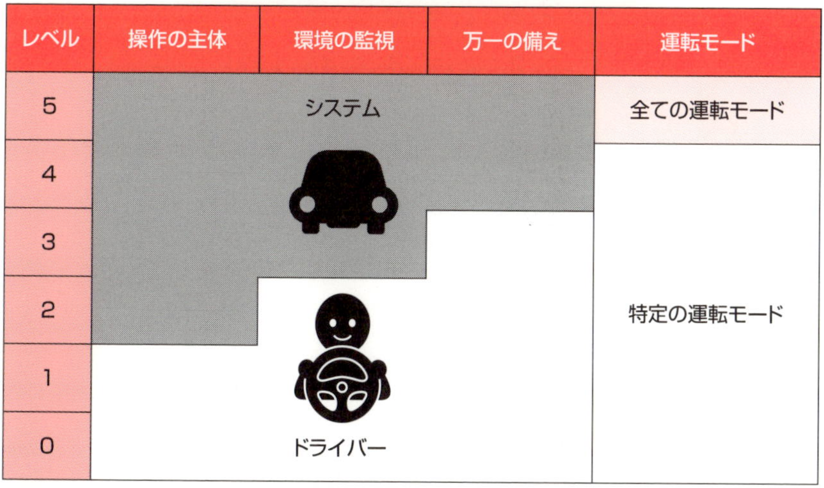

レベル	操作の主体	環境の監視	万一の備え	運転モード
5		システム		全ての運転モード
4				
3				
2				特定の運転モード
1				
0		ドライバー		

用語解説

SAE：SAE インターナショナル（Society of Automotive Engineers International）は航空機、乗用車、商用車などに関連する技術者や専門家が十数万人参加している世界規模の団体で、自動車に関連する各種技術委員会を設置するなどして標準化に貢献している

5 自動運転技術開発の歴史

過去の技術の振り返り

自動運転は実は半世紀以上も前から検討されてきました。1939年に開催されたニューヨーク万国博覧会で米大手自動車会社のゼネラルモーターズ（GM）が一定の車間距離を維持しながらレーンを外れずに高速で車が自動走行するAutomated Highwayというコンセプトを展示しました。1950年代には事故と渋滞問題を解決する目的で道路に誘導ケーブルを敷設し、その磁界を車に搭載したピックアップコイルで検知してコースに沿って車が自動走行できる路車協調型の自動運転システムが提案され、実際に開発されました（図1）。

自律型の例としてマイクロマウスと呼ばれる移動ロボットがあります（図2）。迷路を自動走行して探索、ゴールするまでの時間を競うマイクロマウスコンテストが1977年にIEEE*から提唱され、1979年に最初の競技大会がニューヨークで開催されました。翌1980年には全日本大会が開催されました。

1980年代以降でも自律型や路車協調型、先行車追従型などの自動運転車やロボットカーの研究開発が各国で続けられ、PROMETHEUSなど数多くのプロジェクトが成果を上げてきました。

2004年と2005年に総距離240kmの砂漠のオフロードを無人車両で走破する世界初の競技DARPA*グランド・チャレンジが開催され、2007年にコースを総距離96kmの模擬市街路に変更したアーバン・チャレンジが開催されました。これらの競技に刺激されて2010年にGoogleが自動運転車の研究を発表し、これが自動運転技術開発ブームのきっかけになりました。今では既存の自動車会社各社や電気自動車で車業界に新規参入してきた米Tesla社のほかにIT企業やベンチャー企業など業界を問わず多くの企業が技術開発の競争に加わっています。

要点BOX

- ●自動運転の歴史は1940年前後からはじまる
- ●様々なコンテストや研究開発が続けられてきた
- ●現代は色々な業種からの参入が目立つ

図1　1957年に描かれていた路車協調型自動運転システム

http://paleofuture.com/blog/2010/12/9/driverless-car-of-the-future-1957.html

図2　マイクロマウス競技

用語解説

IEEE：IEEE：Institute of Electrical and Electronics Engineers（米国電気電子技術者協会）
DARPA：Defense Advanced Research Projects Agency（米国防総省の国防高等研究計画局）

6 自動運転技術の現状

日本国内での商品化の状況

2022年現在ではレベル4以上の完全自動運転は実用化されていませんが、自動配送ロボット（図1）や運転席無人バス、ロボタクシー（図2）などのサービスを目指した実証実験が行われています。一方、レベル1と2の自動運転機能はすでに自動車メーカー各社から市販されています（7～9参照）。レベル2の代表として米Tesla社のAutopilotがよく挙げられていますが、日本のメーカーからもプロパイロットやアイサイトなどが発売されています。これらのシステムは高速道路や渋滞時などで運転操作をアシストするために、主に次のような機能をいくつか組み合わせた構成になっています。

①ウィンカー操作を伴わない車線逸脱や衝突が予測される場合に警報を発する警報機能

②アクセルの踏み間違いによる急発進を防ぐための誤発進抑制制御

③先行車や歩行者との衝突を回避するためのAEBS*

④先行車と適切な車間距離を維持しつつ自動的に速度を加減したりするACC*

⑤車線の中央を走行するようにハンドル操作を支援するLKAS*

2019年に日産自動車のスカイラインに搭載されたプロパイロット2.0では、一定条件下において高速道路の同一車線内で手放し運転（ハンズオフ）ができるようになっています。また2020年に国土交通省がホンダのレジェンドという車に世界で初めてレベル3の自動運転車として型式指定を行いました。この車に搭載されたTraffic Jam Pilotシステムは高速道路での渋滞時におけるドライバーの運転操作の負荷軽減を目的としています。そのために前走車をはじめ周辺の交通状況を監視するとともにドライバーに代わって運転操作を行い、車線内の走行を維持しながら前走車に追従する機能を備えています。

要点BOX

●レベル4は配送ロボットなどのサービスを目指している
●レベル2はすでに多く市販されている
●日本は世界をリードしてレベル3を型式指定した

図1　自動配送ロボット

図2　無人バスやスマホで呼ぶロボタクシー

用語解説

AEBS：Autonomous または Advanced Emergency Braking System（衝突被害軽減ブレーキシステム）
ACC：Adaptive Cruise Control（アダプティブクルーズコントロール）
LKAS：Lane Keeping Assist System（レーンキープアシストシステム）、車線維持支援システム

7 誤発進抑制制御、AEBS

商品化された自動運転技術の例1

近年高齢ドライバーのブレーキとアクセルの踏み間違いによる事故が増加して社会問題化しています。そのためにペダル踏み間違いによる誤発進抑制制御やAEBSなど先進安全機能が注目されています。これらのサポート機能を搭載した車はサポカーと呼ばれ、2022年5月にサポカー限定の運転免許が創設されました。

誤発進抑制制御とは、停車時や時速10㎞以下の極低速時にドライバーが必要以上と思われるアクセル操作をした場合に警報とともにエンジンやモータの駆動力を抑え、障害物に衝突する危険を回避するための制御です。これによってペダルの踏み間違いによる急発進を防止できますが、踏切などから脱出するために急発進が本当に必要な場合もあるので警報を無視して数秒以上アクセルを踏み続けると抑制機能が解除される仕様になっています。

AEBSはカメラやレーダーなどで前方の車両や歩行者を検知し、衝突する危険が高まった場合に警報を発してドライバーにブレーキ操作を促します。それでもブレーキ操作がなく、このままでは衝突の可能性が高いとシステムが判断した場合、自動的にブレーキが作動して衝突被害を軽減します。

自動車基準調和世界フォーラム（WP29）でAEBSの性能に関する国際基準がまとめられ、これに伴って国土交通省が次の性能を満たすと認めた車をAEBS認定車として発表しています。

①静止している前方車両に対して時速50㎞で接近した際に衝突しない又は衝突時の速度が時速20㎞以下となること

②時速20㎞で走行する前方車両に対して時速50㎞で接近した際に衝突しないこと

③①や②においてAEBSが作動する少なくとも0・8秒前にドライバーに衝突回避操作を促すための警報が作動すること

要点BOX

- ●サポカー限定の運転免許が創設された
- ●AEBSの性能に関する国際基準がまとめられた
- ●AEBSが作動する0.8秒前に警報が作動する

図1　誤発進抑制制御

図2　衝突被害軽減ブレーキ

8 車線維持と先行車追従機能付き定速走行制御システム

商品化された自動運転技術の例2

今まで発売されたレベル2の自動運転技術システムはエンジンやモータなどを制御することでドライバーが設定した速度を一定に保ちながら自動走行するためのクルーズコントロールと呼ばれる機能を基本にしています（図1）。その上でカメラ、レーダーなどで先行車を見つけると、設定速度より先行車の速度が遅い場合には一定の車間距離を保ちながら先行車に追従走行します（図2）。渋滞などで先行車が停止した場合にはそれに合わせてシステムが自動的にブレーキをかけて停車します（図3）。先行車が発進して再び走り出したらドライバーがボタンを押してシステムの機能を再開させれば再び先行車に追従走行します。また数秒間以内の短い時間ならドライバーがボタンを押さなくてもシステムが自動的に再開するストップアンドゴーと呼ばれる機能を搭載した例もあります。

さらにカメラの映像などから車線を認識し、定速走行や追従走行などのカーブ中でもシステムがハンドルを制御して自動的に車線を維持します（図4）。この機能によってドライバーはアクセル、ブレーキ、ハンドルのいずれも操作する必要がなくなりますが、万一の場合に備えていつでも操作できるように手をハンドルに添えておく必要があります（56図1参照）。

追従走行していた先行車が車線変更などで急にいなくなった場合には自車線の新しい先行車を見つけて追従したり定速走行したりして車線を維持し続けます。また追従していた先行車との間に別の車が割り込んできた場合にはその割り込み車を新しい先行車として認識し、それに追従走行します。

ドライバーとのコミュニケーションのためにシステムの動作状態をディスプレイに表示するほか、車線を維持するための自動操舵中にハンドルにトルクを積極的にフィードバックすることでドライバーがシステムの動作を感じるようにする例もあります。

要点BOX

- 定速走行+先行車追従+車線維持機能のレベル2の自動運転はすでに商品化されている
- ハンドルで自動走行動作を感じられる例もある

図1　クルーズコントロール機能

設定速度で定速走行

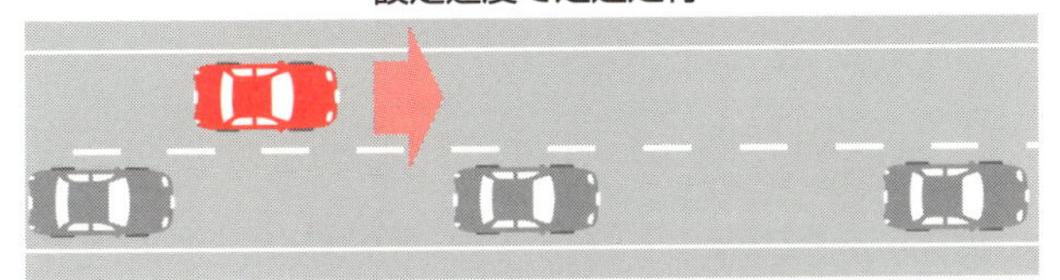

図2　先行車追従機能

車間距離を一定に維持

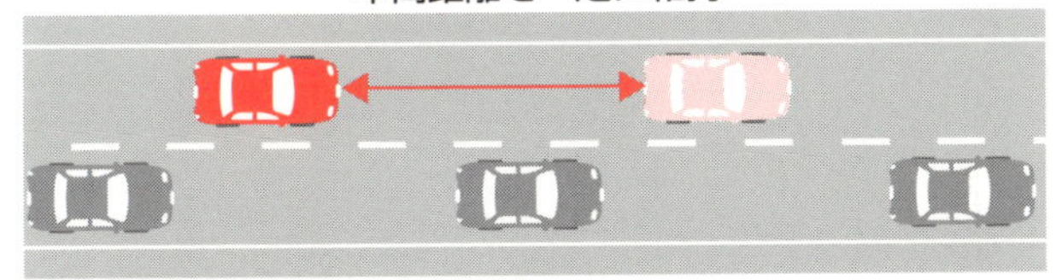

図3　先行車に合わせて自動的に停止する機能

自動停止 ←── 先行車停止

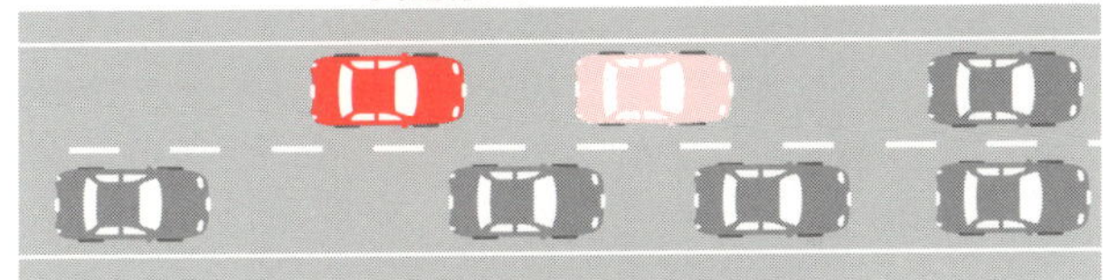

図4　車線維持機能

先行車を追従しながらカーブを曲がる

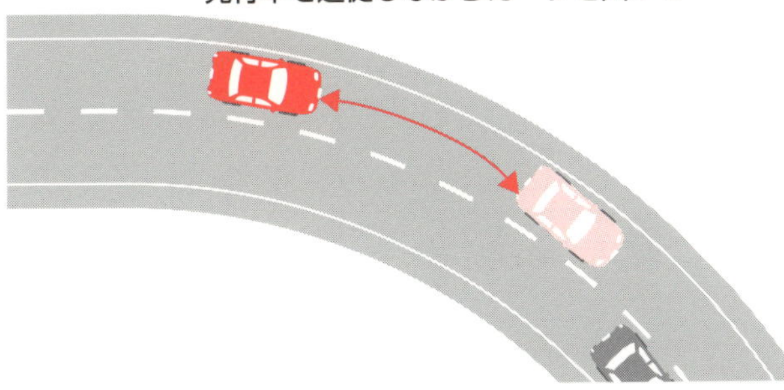

9 駐車支援、自動駐車システム

商品化された自動運転技術の例3

パーキングアシストなどと呼ばれる駐車を支援するシステムがいくつか発売されています。パーキングアシストシステムはレベル1の自動運転技術で、まず超音波ソナーやカメラなどを使って駐車スペースを認識します。そのスペースに駐車したい時にシステムがハンドルを制御し、自動操舵を行います。これによってドライバーはアクセル、ブレーキ、シフトレバーの操作と安全確認だけに専念できます。ドライバーとの協調作業が必要になるのでこのシステムはナビの音声や文字などでドライバーに合図をしてブレーキを放してもらったりシフトレバーをリバースやパーキングレンジにしてもらったりするようになっています。またドライバーに駐車したいスペースを入力してもらうためにシステムが動き始めるとまずナビのカメラ画面に枠が表示されます（図1）。ドライバーが画面上の駐車したいスペースに枠を合わせるとシステムが適切なハンドル操作量や切り替えしのタイミングなどを決定し、支援を開始します。この支援システムによって車庫入れや縦列駐車など多くの初心者ドライバーが不得意な場面でも比較的楽に駐車することができるようになります。

さらに進んだレベル2の自動駐車システムもいくつか発売されています。システムがアクセル、ブレーキ、ハンドルの全てを制御するのでドライバーは安全確認だけに専念できます。一例ではドライバーが駐車したい場所の手前で停車してからスイッチなどを押してシステムを起動します。さらにゆっくり前進し、前席のドアが駐車したい場所の中央付近1m程度離れたところまで来たらブレーキを踏んで停車してシステムに駐車開始を指示するとシステムが駐車場所を認識して自動駐車を開始します（図2）。動作中ではドライバーがスイッチなどを押し続けなければならず、万が一の時にはスイッチを放すと動作が止まり安全を確保できるようになっています。

要点BOX
- ●自動駐車はすでに商品化されている
- ●ドライバーがスイッチなどを押し続けることで動作、スイッチを放すと停止し、安全を確保

図1　パーキングアシストの例

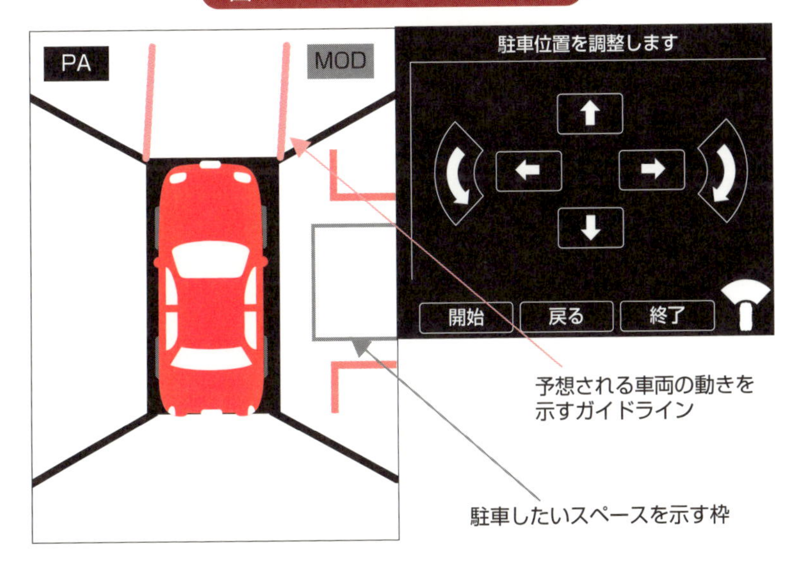

図2　自動駐車システムの例

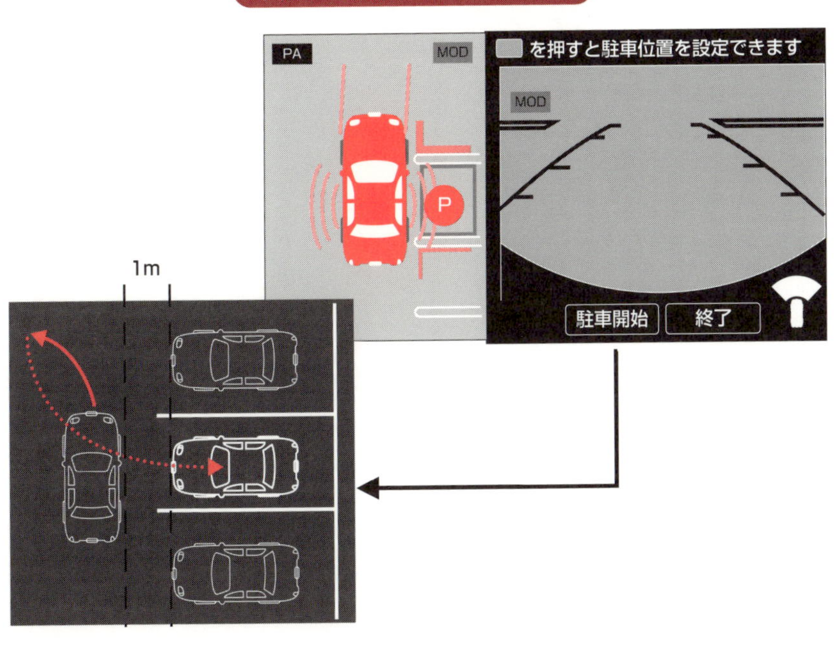

10 自動運転システムの概要

ハードウェアとソフトウェアの全体像

現在商品化されたり実験が進められたりしている各レベルの自動運転車には大きく分けて3種類のハードウェアが使われています（図1）。

①カメラやレーダー、LiDAR（ライダー）*などのセンサ
②システムの制御を担当するコントローラ
③実際に運転操作を行う各種アクチュエータ

運転は認知、判断、操作の3要素に分解できると言われます。認知とは運転に必要な情報を集めることで人間のドライバーは五感、とくに目から得られる視覚情報を中心に走行環境を認知します。そして認知した走行環境に関する情報をもとにどう運転したらよいかを考え、判断を下します。最後にその決断を実際に行動に移して車を操作します。

車を安全に運転するには〝走る〟〝止まる〟〝曲がる〟という基本動作を適切に実現しなければならず、多くの操作を必要とします。そのためにドライバーはアクセルペダルやブレーキペダル、クラッチペダル、シフトレバーなどを使って車を加速や減速させて速度を操作します。これによって〝走る〟と〝止まる〟を制御します。さらにドライバーはハンドルを使って進行方向を操作し、〝曲がる〟を制御します。

自動運転でも各種情報収集（センシング）、認知・判断、そして操作の3要素に分けることができます。操作によって〝走る〟〝止まる〟〝曲がる〟を実現して車を動かします。車両の動きに応じて走行環境が時々刻々と変化します。その情報を再び収集し、認知、判断、操作を繰り返します。

さらにレベル3までの自動運転であれば人間ドライバーが介入して車両を直接操作する可能性があります。そのためにレベル3までの自動運転であればドライバーの状態や運転介入意図を推定し、必要に応じてドライバーとコミュニケーションを取る必要があります（図2）。

要点BOX
●自動化には認知、判断、操作の実現が必要
●操作とは走る、止まる、曲がるの実現
●ドライバーと車のコミュニケーションも必要

図1 自動運転用ハードウェアの例

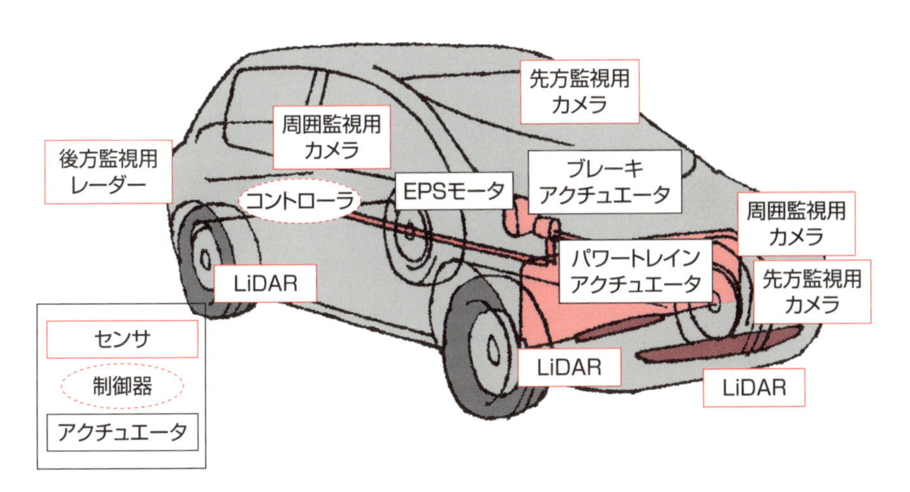

図2 自動運転を実現するためのキー技術例

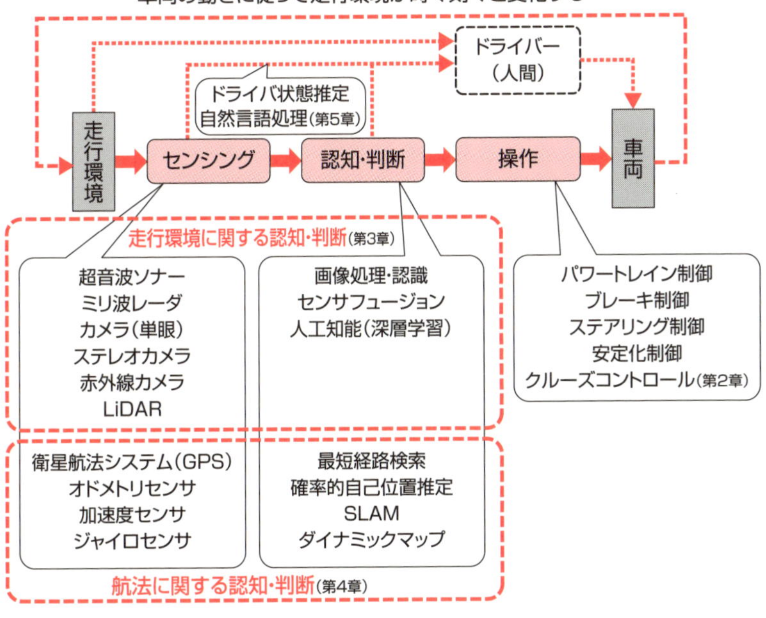

用語解説

LiDAR:Light Detection And Rangingの頭文字をとった言葉で、レーザースキャナとも呼ばれている（36参照）

11 「深層強化学習」対「センサ」

本書の立ち位置

レベル4以上の完全自動運転の実現には深層強化学習に代表される人工知能技術のさらなる発展が注目されていますが、実はシステムが車を運転するにはセンシング、認知、判断、操作の一連の動作が必要で、どれも欠かすことができません。近年各種ADASや自動運転が商品化できたのはこれらの技術がそれぞれに進展したためです（図1）。

操作に関してはこれまでに多くの技術が開発されてきて完成の域に達していると思われています。車を操作するためのアクチュエータとしてドライブバイワイヤやブレーキバイワイヤなどの各種バイワイヤ装置が車載できるようになりました。またそれらを制御する技術も古典的なPIDからモデルに基づく制御へと大躍進し、物理や数式モデルさえあれば現代制御の枠組みで不安定性があっても所望の動作ができるようになりました（第2章参照）。

センサと認知・判断に関わるコントローラもそれぞれ進歩を続けてきましたが、どちらもまだ十分な域に達しているとは思われていません。各種センサはそれぞれに得手不得手があってどれも100%の信頼度を得ることができていません（第3、4章参照）。

よく知られているように人間の目は100%信頼できるセンサではなく、目の不完全性を補完するために大きな脳を使って各種判断をしながら運転しています。そこで脳の働きを真似ているニューラルネットワークおよび深層学習を使えば人間と同じ運転ができると期待されています。しかし人間でもミスをします。人間の脳を完全に再現できたとしても人間よりも安全に運転できるのか、このアプローチに対する議論の余地が残されています。

本書ではセンサ寄りの立場で完成度の高い制御や操作に関する技術と、商品化が比較的進んでいる各種センサおよび画像処理技術に重点を置いて解説を進めたいと思います（図2）。

要点BOX
- ●認知、判断、操作の要素技術を俯瞰
- ●小さな脳+万能センサVS大きな脳+普通のセンサ
- ●本書は商品化が進んでいるセンサ寄りの立場

図1　ADASおよび自動運転に関わる各種技術の進展

センシング （第3、4章参照）	レーダーやカメラなどの単機能センサ ↓ センサフュージョン ↓ ステレオカメラやLiDARなどのような複数機能センサ	
認知・判断 （第3、4章参照）	CPU ↓ CPU+GPU/GPGPU	アルゴリズムやルールに基づく認知・判断 ↓ 統計に基づく認知・判断 ↓ 深層学習などの人工知能による認知・判断
操作・制御 （第2章参照）	アクセル、ブレーキ、ステア単体の操作 ↓ 協調制御	PID制御 ↓ モデルに基づく制御 ↓ （深層学習に基づく制御）

図2　大きなセンサアプローチ対大きなコントローラアプローチ

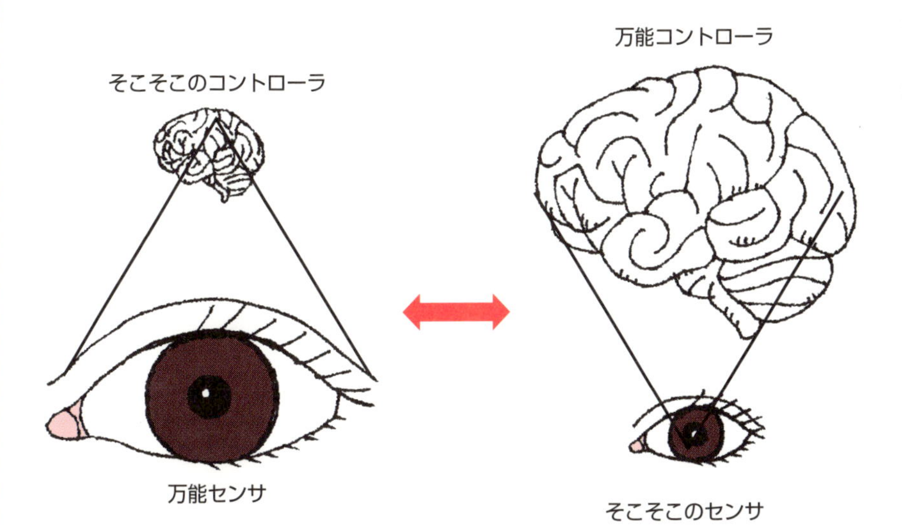

12 自動運転と電気自動車の相性

お互いを高め合える関係

電動化と自動化は「CASE」などのキーワードでも見られるように現在の自動車技術の大きな流れとなっています。この2つの技術はそれぞれ独立していることはレベル3の自動運転ガソリン車や自動運転ではない電気自動車（EV）が発売されていることからも分かります。しかし電動化と自動化技術の相性は良く、これらを組み合わせることでお互いの欠点を補完しあったり長所を際立たせたりします。

ガソリンエンジンは空気と燃料をあらかじめ混ぜた混合ガスを点火プラグで燃焼させて力を生み出しています（図1）。複雑な機構が使われているために強い非線形性と大きな遅れ時間を有します。その結果ガソリンエンジンは制御しにくく、自動運転で実現できる機能が制限されます。一方、EVで使われているモータの応答時間はガソリンエンジンのそれより一桁以上早く、トルクは電流に単純に比例するのでフィードバック制御の基本であるPI制御*で簡単に制御できる特徴があります。自動運転にとってEVのほうがガソリン車より制御性が良く、多彩な機能を実現しやすいメリットがあります。

EVにとっても自動運転のメリットは大きいです。EVの航続距離を延ばすためにエネルギーをできるだけ回生する必要があって、自動運転によって安全を確保しつつ回生を最大限まで引き上げることができます。またEVを充電する煩わしさを解消するための技術としてワイヤレス給電が注目され、開発されつつあります（図2）。効率良くワイヤレス給電するにはEVを給電パッドの真上に正確に駐車する必要があり、これを自動運転技術によって実現できると考えられています。

本書の第2章はEVの〝走る〟〝曲がる〟〝止まる〟を制御する技術を解説することにします。

要点BOX
- ●EVと自動運転は相性が良い
- ●モータはエンジンよりも制御しやすい
- ●自動運転でEVの航続距離を延長できる

図1　ガソリンエンジンの電子制御システム

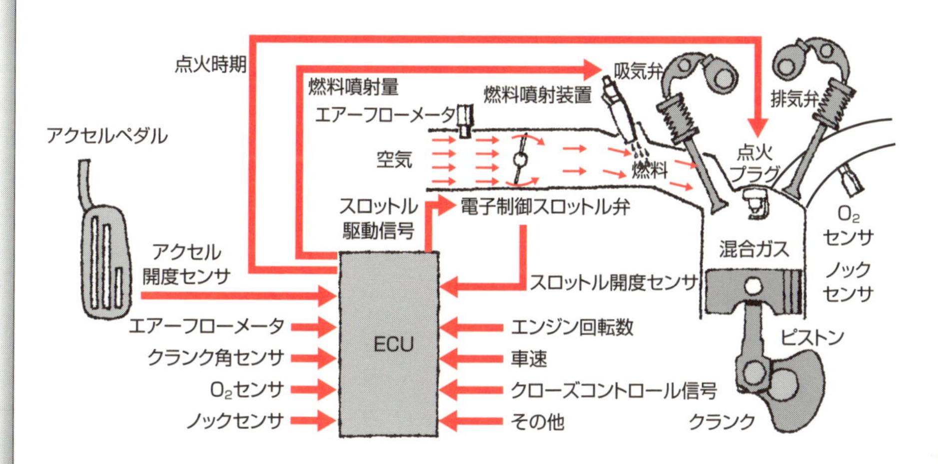

図2　ワイヤレス給電システム

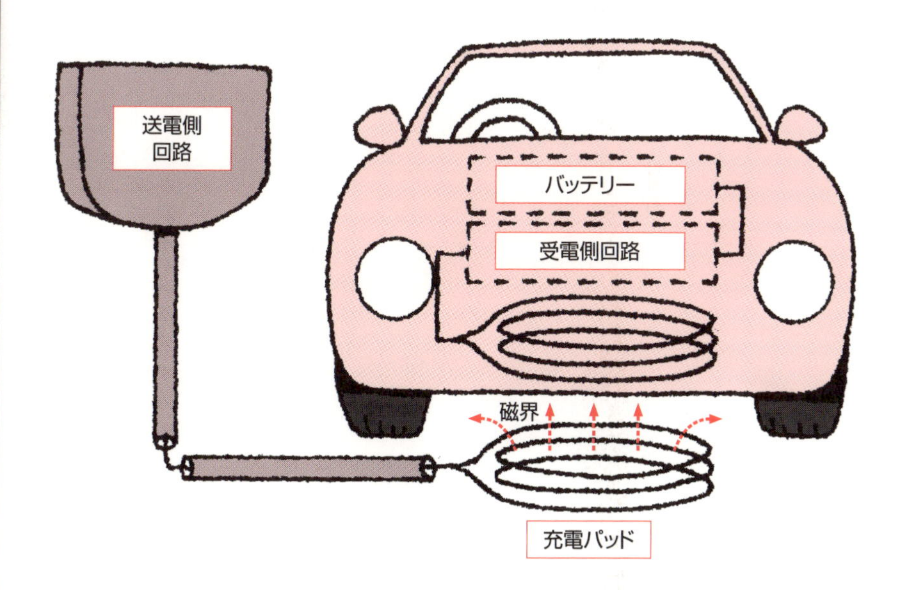

用語解説

PI 制御：Proportional-Integral Control（比例積分制御）（14図 2 参照）

Column

ブライスのパラドックス

常識的に考えて車の台数が変わらない限り道路を増やせば混雑が緩和され、道路を閉鎖すれば混雑度が増します。しかしこの常識に反する事例が報告されています。この矛盾はブライスのパラドックス(Braess's Paradox)と呼ばれています。

車5000台を保有している町AからオフィスBへ通うには橋P、Qと街道R、S、高速道路Tを通らなければならないとするとAからBへ急ぐにはどの道を選ぶとよいでしょうか（図）。ただし街道を通るのに要する時間は1時間で一定とします。橋は500台の車までなら5分で済みますが、車が集中して1000台になれば10分、5000台なら50分かかるとします。また高速道路は5分かかるとします。

R、T、Sを通れば合計125分かかります。一方P、T、Qを通ると500台の車なら15分、1000台になると25分かかります。最悪Aの全ての車5000台がこの道を選んだとしても105分しかかからず20分RTSよりも早い。さてPTQが最適な道でしょうか?

高速道路Tを閉鎖してみると道はPSかRQの2つだけになります。車500台がPS、RQどちらを通っても65分、1000台になれば70分、5000台なら110分になります。PSとRQのどちらも同じだけ時間がかかるのでAの車の半分がPS、残り半分がRQを選び、それぞれの道に2500台ずつの車が等配分されることが期待できます。その場合のAからBへの移動時間は85分となって、全体として見ると最も早いことが期待できます。

この矛盾は、各自が個別最適な選択をして無秩序に行動するような利己主義よりも利他主義に行動したほうが社会全体として見ると最適になる場合があり、無秩序には高い代価がつく可能性があることを示唆しています。

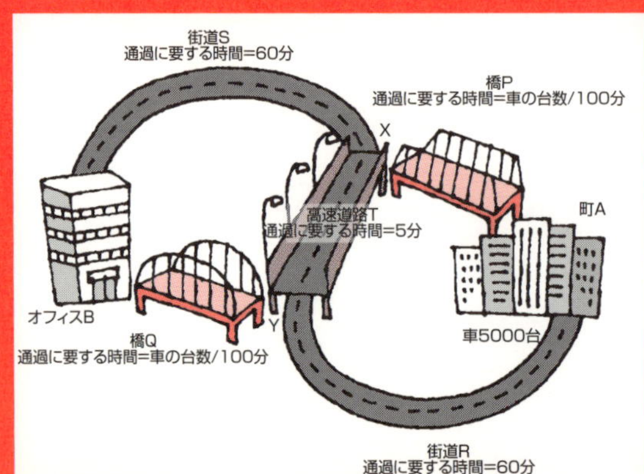

第2章

“走る”“曲がる”“止まる”を制御する技術

13 車の運動の基本

平面と上下合わせて6つの自由度

自動運転であっても乗員が乗る場合には乗り心地の良さが求められます。とくにレベル3以上の自動運転ではメールをチェックしたり本を読んだりするようなセカンドタスクが許され、そのためにもこれまで以上に車の不要な揺れを抑える必要があります。

一般に物体の運動は3次元空間上で前後、左右、上下の3方向の直線運動とヨー、ピッチ、ロールの3方向の回転運動で構成され、これらを合わせた計6つの自由度があります(図1)。しかし空を飛ばない限り、車は平面に近い路面上に拘束され、6つの自由度の内、主に前後、左右とヨーの平面上の3方向にしか自由に動くことができません。車の上下運動は道路の凹凸を乗り越えたりするときに発生し、その衝撃や振動が不快の原因になります。

乗り心地を向上させるために車ではサスと略されるサスペンションという部品を使って路面から伝わる衝撃を受け止め、乗員に伝わらないようにしています(図2)。サスは主にショックアブソーバーとも呼ばれているダンパーとバネで構成され、これらを弱く設定すると振動が吸収されて乗り心地が良くなります。しかしそうすると旋回時に大きなロールが発生します。逆にバネを強くすると乗り心地は硬くなりますが、安定した操作性と足回りの向上が得られるようになり、走行性が良くなります。

理想的には段差を乗り越えるときに十分減速してゆっくり進むことですが、減速が十分できない場合に段差の直前で一瞬ブレーキを踏む運転テクニックがあります。走行中に一瞬ブレーキを踏むと車の前方が沈み、バネが圧縮されます。次の瞬間ブレーキを離すとバネの反動で前方が浮き、段差の衝撃を和らげてくれます。このようにバネを通して車の平面と上下運動が連動していて、効率や乗り心地のためにも加減速やステアリングの上手な制御は車にとって大変大事な技術になります。

要点BOX

- ●車は前後、左右とヨー方向しか自由に動かない
- ●乗り心地と走行性は両立が難しい
- ●バネを通して車の平面と上下運動が連動している

図1　3次元空間上の車の自由度

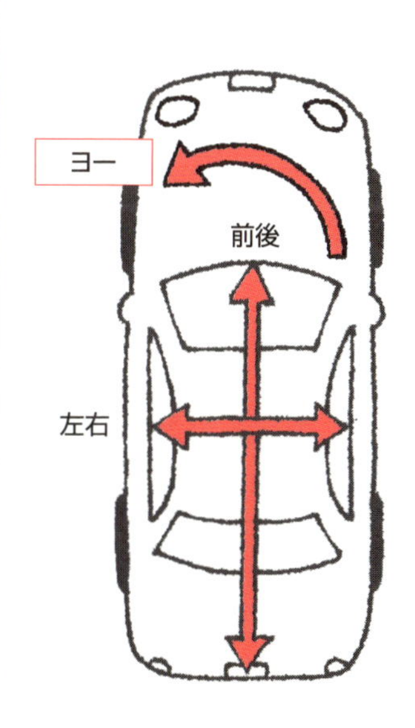

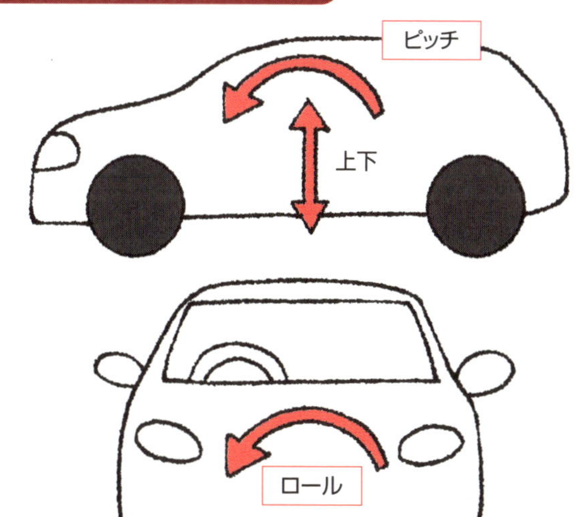

図2　サスの構造例

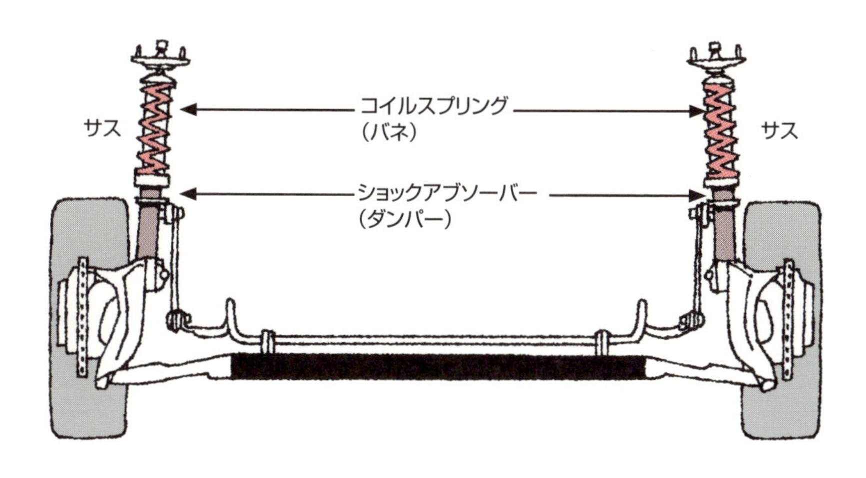

車の平面運動を実現する手段

14 タイヤによって発生する力

一般の乗用車は4つのタイヤで路面に接し、路面から荷重反力のほかに摩擦などによって発生する前後力と横力からなるタイヤ発生力を受けることで車の路面上の諸挙動が決まります。タイヤ発生力は非線形な飽和特性を持ち、走行時の荷重の変化や路面の状況に応じて時々刻々と変化します。

タイヤ発生力は荷重と摩擦係数μの積に等しく、μはタイヤの種類や乾燥路面、圧雪、凍結などの路面状態に左右されます。車が加減速するときに進行方向のタイヤ発生力によってタイヤが粘弾性変形して路面と接する面積が変化します（図1）。その結果タイヤの外周と一回転当たりに車が進む距離にスリップと呼ばれる差が生じます。このときμはスリップ率ρ*の関数になっていて概ねρが0・2程度まではρが大きくなるにつれてμはρに比例して大きくなります（図2）。しかしρが0・2程度以上になるとμが減少し始めます。定速走行中ではρは0になっていますが、加減速によってタイヤと車体の速度が異なり、ρが大きくなります。ρが0・2程度以下の間では適切なμによって車体が加減速しますが、急ブレーキや急加速などによって制・駆動力が大きくなり過ぎてρが0・2程度以上になってしまうとμが低下してしまい、その結果ρがどんどん大きくなって1に達します。この状態ではタイヤが回転せずにロックしたり路面の上を滑って空転したりして制・駆動力を得ることができなくなります。

車が旋回するとき、タイヤに横力が働きます。横力は前後力と同様に飽和して減少する特性を持ち、急ハンドルなどによって横力が大きくなり過ぎると車が横滑りしてハンドルが効かなくなります。また前後力と横力は独立しておらず、旋回中のブレーキや加速による前後と横力の合成で車がスリップしてコントロールを失うことがあります。この現象はよく摩擦円を使って説明されています（図3）。

要点BOX
●タイヤ発生力によって車の路面上の諸挙動が決まる
●スリップ率が大きすぎると車体運動を制御できなくなる
●前後と横力の合成で車がスリップすることがある

図1 タイヤ発生力

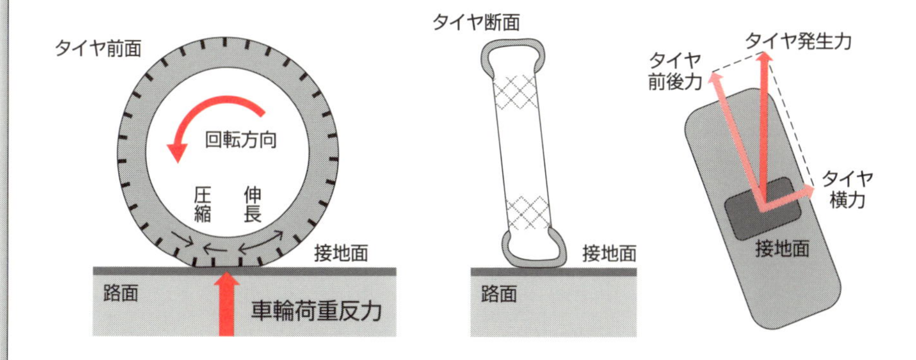

図2 摩擦係数μとスリップ率ρの関係

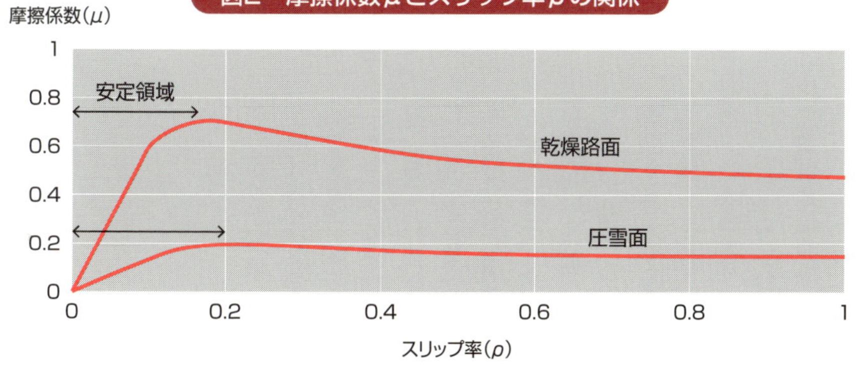

図3 摩擦円

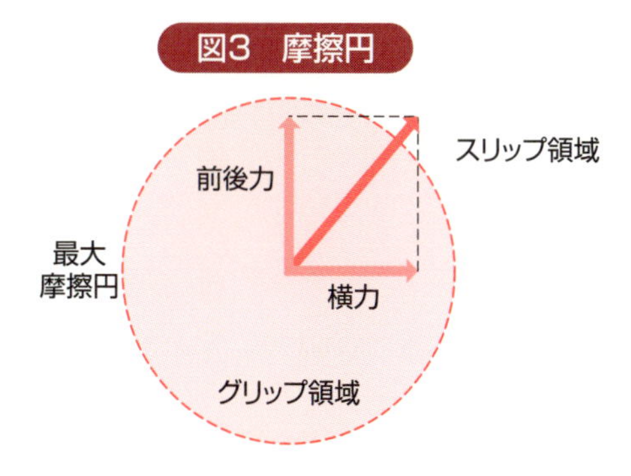

用語解説

スリップ率ρ：駆動時では車体と駆動輪の対地速度の差を駆動輪速度で割った値、制動時では車体とタイヤの対地速度の差を車速で割った値と定義されている

15 古典制御技術

オンオフ制御とPID制御

車の運動を目標通りに電子制御する技術として速度などの制御量を測定し、その値を目標値と一致するように操作を加える方法があり、フィードバック制御と呼ばれています。例えばモータの回転数を目標値になるように制御するには回転数の実測値が目標を下回ったらモータへの出力をオンにして電圧を印加し、モータを加速します。逆に回転数が目標を上回ったらモータへの出力をオフにして減速を待ちます（図1）。操作量がオンかオフしかないのでこの方法はオンオフまたはバンバン制御と呼ばれ、フィードバック制御の代表の1つになります。

オンオフ制御は簡単なスイッチだけで実現できて経済的に優れていますが、目標値になかなか収束しない欠点があります。モータの出力をオフしても慣性や各種制御遅れなどによってモータの回転数がしばらく上昇し続けます。逆にモータの出力をオンしてもモータの回転数はすぐに上昇せずにしばらく低下し続けます。この繰り返しによって制御量が目標値の周りを振動し続けます。この振動はハンチングと呼ばれ、効率や乗り心地を悪化させるなどの悪影響を及ぼします。

オンオフの代わりに制御量と目標値の差に応じて操作量を適切に調整することでハンチングを抑えることができます（図2）。制御量と目標値の差は偏差と呼ばれ、偏差に比例した操作量を加えるような制御は比例制御と呼ばれています。しかし比例制御だけでは偏差が0に近づくほど操作量が小さくなるので偏差を完全に0にできず、わずかな定常偏差が残ってしまいます。そこで偏差のほかにその時間積分に比例した操作量も加えることで定常偏差を無くします。このような制御はＰＩ制御と呼ばれ、モータの制御によく使われています。さらに応答性の改善を狙ってＰＩのほかに偏差の時間微分も加えた制御はＰＩＤ制御と呼ばれています。

要点BOX
- ●オンオフ制御は経済的、でも振動が収まらない
- ●比例制御は収束するが定常偏差が残る
- ●PID制御は定常偏差がなく、応答性も良い

図1　オンオフ制御

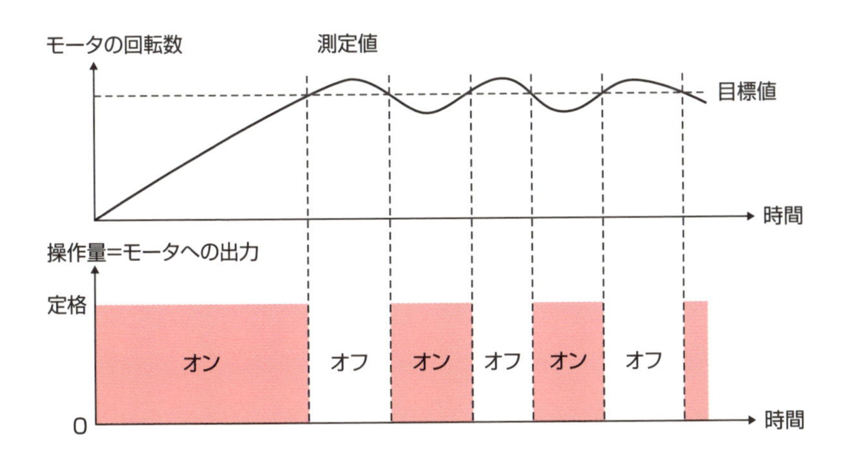

図2　PI制御

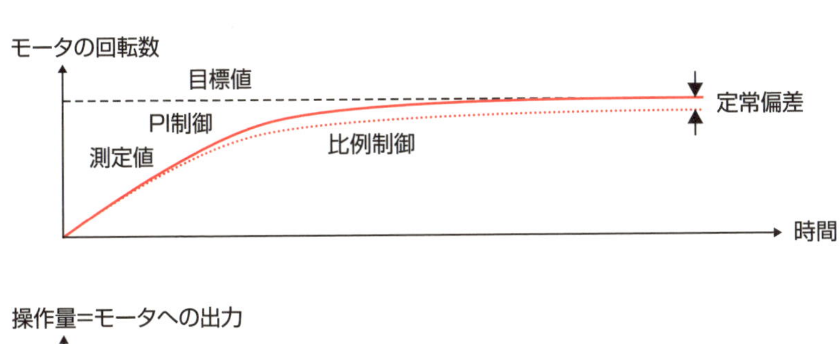

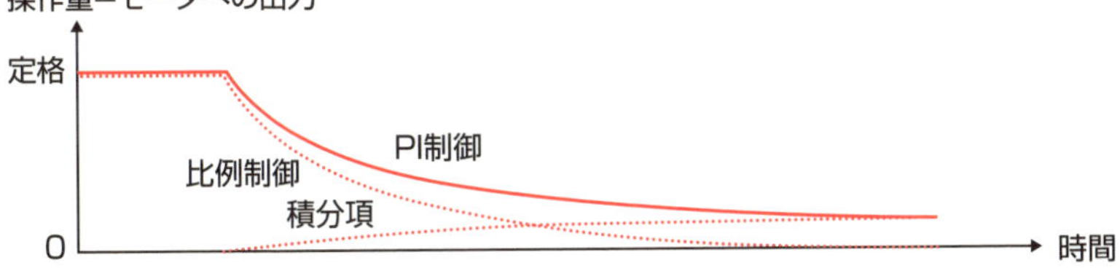

16 パルス幅変調とパルス周波数変調技術

オンオフだけで実現するPID制御

PID制御では操作量となる電流や電圧を連続的に変化させる必要があります。しかし一般に連続操作よりもオンオフだけの動作の方が簡単なスイッチで実現できて経済的に優れ、効率もよくなります。そこで電流や電圧を連続的に変化させる代わりにスイッチを細かくオンオフさせてそのオンとオフ時間の比率を変えることで平均値を調整する方法が使われています。この方法はパルス変調法と呼ばれ、スイッチのオンとオフを合わせた時間は周期、オン時間を周期で割った値はデューティ比と呼ばれています(図1)。デューティ比を調整することで任意の平均操作量を作ることができます。

PID制御に必要な操作量をパルス変調法で作るには2つの方法が考えられています。

1. パルス幅変調

パルスの周期を一定にしたままでそのオン時間を変えてデューティ比を制御する方法です(図2)。PWM(Pulse Width Modulation)制御とも呼ばれ、一定周期の割り込み処理で比較的簡単に実装できるのが特徴です。PWM制御はその基本周波数の整数倍になる周波数に高調波成分が集中する性質を持っていて、またスイッチがオンしてからオフできるまでに要する最短時間よりもデューティ比を小さくできないという制約があります。

2. パルス周波数変調

パルスのオン時間を一定にしたままでその周期を変えてデューティ比を制御する方法です(図3)。周波数可変変調、PFM(Pulse Frequency Modulation)制御、VFM(Variable Frequency Modulation)制御などとも呼ばれています。VFM制御の高調波成分は広い周波数帯に分散し、PWM制御で実現できないような小さなデューティ比でもオフ時間を長くすることで作ることができる特徴があります。

要点BOX

- オンオフだけでPIDを実現できるパルス変調法
- オン時間を変えることで制御するパルス幅変調
- 周期を変えることで制御する周波数可変変調

図1　パルス変調法

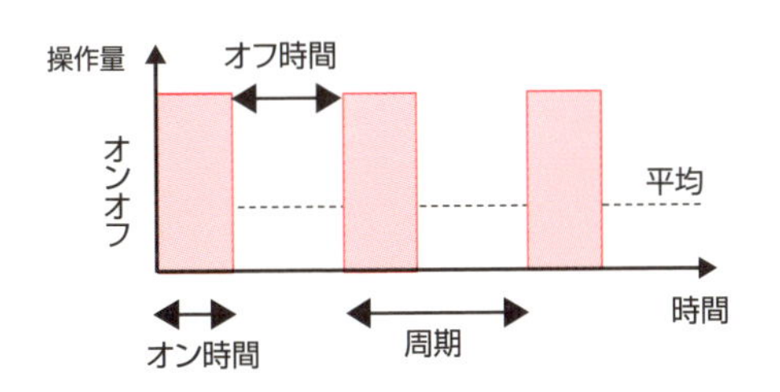

周期＝オン時間＋オフ時間

$$\text{デューティ比}=\frac{\text{オン時間}}{\text{周期}}$$

平均＝デューティ比×最大操作量

図2　PWM制御

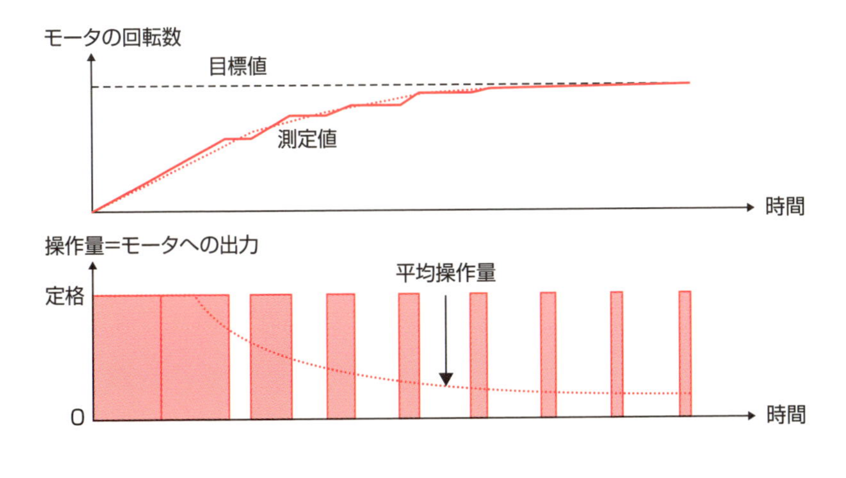

図3　VFM制御

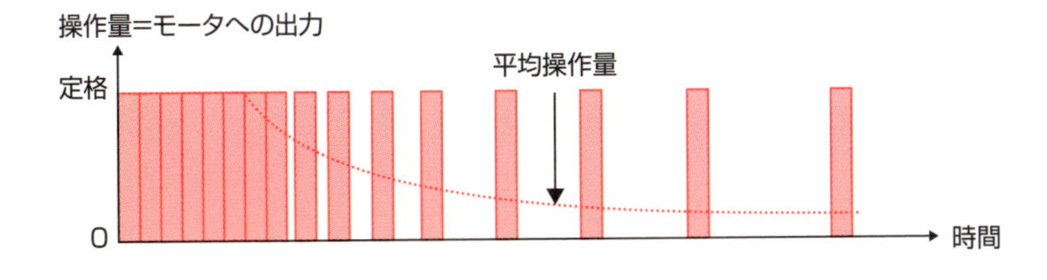

17 現代制御技術

システムの内部まで考慮する状態空間表現

PID制御は手軽さや制御成績のよさから自動車用各種アクチュエータの制御など多くの分野で現在でも利用され、古典的な自動制御の基本技術となっています。しかしPID制御は一つの入力と一つの出力の関係だけに着目していてシステムの詳細構成やその内部状態を考慮していないために制御できる限界があります。例えばセグウェイ*や台車駆動型倒立振り子を制御するのにPID制御は適さず、振り子を安定に倒立させられないことが知られています（図1）。倒立振り子の重心は支点よりも高い位置にあって本質的に不安定で、倒れやすいです。しかしホウキや傘をひっくり返して手のひらの上でバランスをとって倒れないようにする遊びを思い浮かべればわかるように重心が支点の真上にくるようにうまく手を動かせば不安定な倒立振り子でも倒れずに安定に倒立させることができます。そのためには重心の位置や台車、支点の位置、それらの速度などシステムの内部状態に関する詳細な情報を制御に反映する必要があります。

現代制御ではシステムの内部状態は入力によって変化するとし、変化の蓄積で状態が一意的に決まるとしています。また状態変数と呼ばれるいくつかのパラメータの組み合わせで内部状態を表現できるとし、状態変数をシステムの制御に反映するようにしています。さらに出力は内部状態と入力で一意的に決まるとします。このようなシステムの表現方法は状態空間表現と呼ばれています（図2）。

状態空間表現を数式に書き表して具体的に計算するためには複数の状態変数を同時に扱う必要があってベクトルや行列演算が使われ、また状態変数の蓄積を計算するには微積分が必要になります。PID制御よりも複雑で高度な計算が必要ですが、複数の入力を操作しながら数多くの条件を同時に満たすことができる利点があります。

要点BOX

- 内部状態も考慮することでPIDの限界を超える
- 状態空間表現を使うことで状態変数を制御に反映
- 複雑だが多くの条件を同時に満たせる

図1　古典制御の適用が難しい例

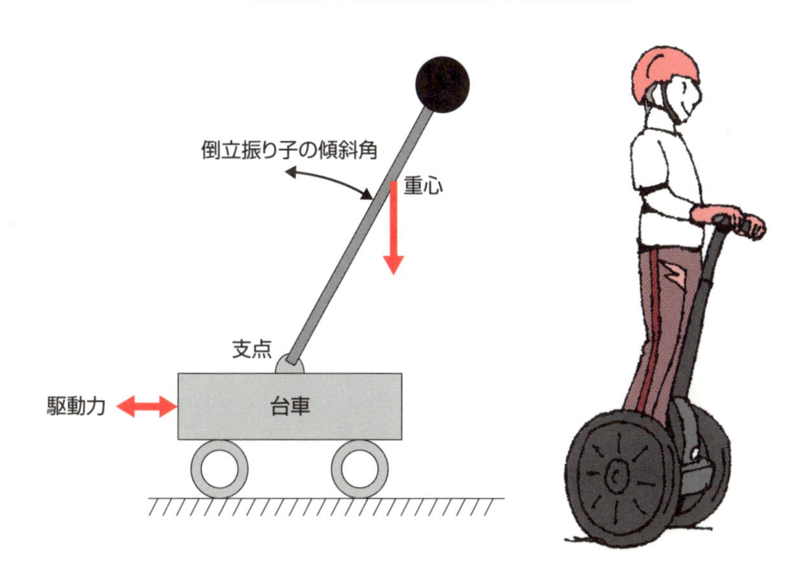

図2　状態空間表現

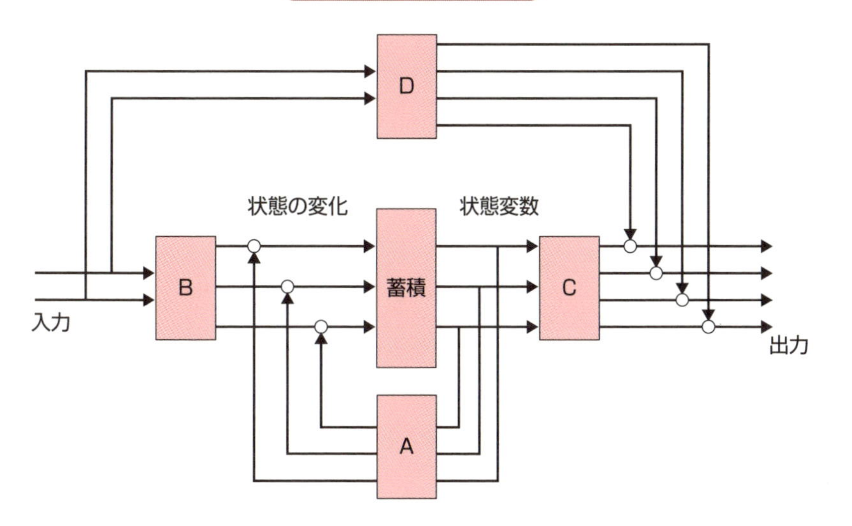

用語解説

セグウェイ：米 Segway Inc. から発売されている電動立ち乗り二輪車、2020 年をもって生産終了

18 状態フィードバック制御とモデルに基づく制御

具体的な現代制御技術

状態空間表現法で表されたシステムを制御するには状態変数を観測し、それらを入力にフィードバックする方法があります（図1）。この方法は状態フィードバック制御と呼ばれ、現代制御の基本技術となっています。状態フィードバック制御はシステムの内部にまで目を向けているのでPID制御などの古典的な方法による制御が難しいような不安定なシステムに対しても有効です。

昨今、状態フィードバック制御を応用したおかげでドローン（マルチコプター）の操縦が簡単になり、応用範囲が広がって普及につながりました。複数の回転翼をバランスよく回転させながら機体の並進運動や回転運動、姿勢など複数の制御値を同時に目標に近づけなければならないような用途にはPID制御だけでは不十分で、現代制御の手法が必要になります。自動車においても例えばカーブを曲がりながら速度を所定の値に制御しつつ振動も抑えて乗り心地を改善しなければならず、現代制御の適用によって初めて達成できます。

状態フィードバック制御はとても有効な制御手段ですが、状態変数を全て測定しなければなりません。しかし実際には状態を直接観測することが難しい場合が多いです。実測できない状態変数があってもコンピュータ上に実装された物理または数理モデルを使ってシステムの内部状態を推定し、フィードバックに使うことができる場合があります。このような状態を推定するためのモデルは状態観測器またはオブザーバーと呼ばれています（図2）。

オブザーバーを使った状態フィードバック制御ではモデルによる推定と実際の制御対象との差異を減らすために、実測した制御対象の出力とオブザーバーによって推定される出力値を比較してこれらが一致するように誤差をフィードバックしてオブザーバーの状態推定を補正するようにしています。

要点BOX
- ●状態フィードバック制御で応用範囲が広がる
- ●しかし状態変数を全て観測しなければならない
- ●観測できない場合はモデルを使って推定する

図1　状態フィードバック制御

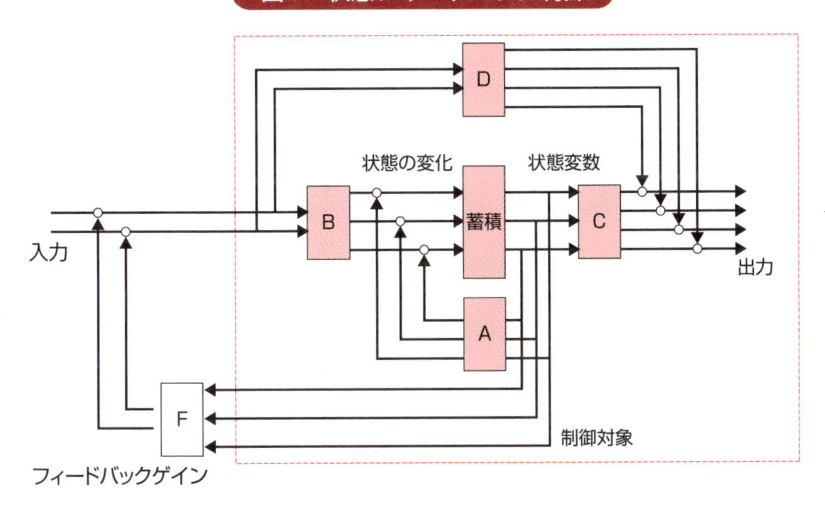

図2　モデルに基づく制御

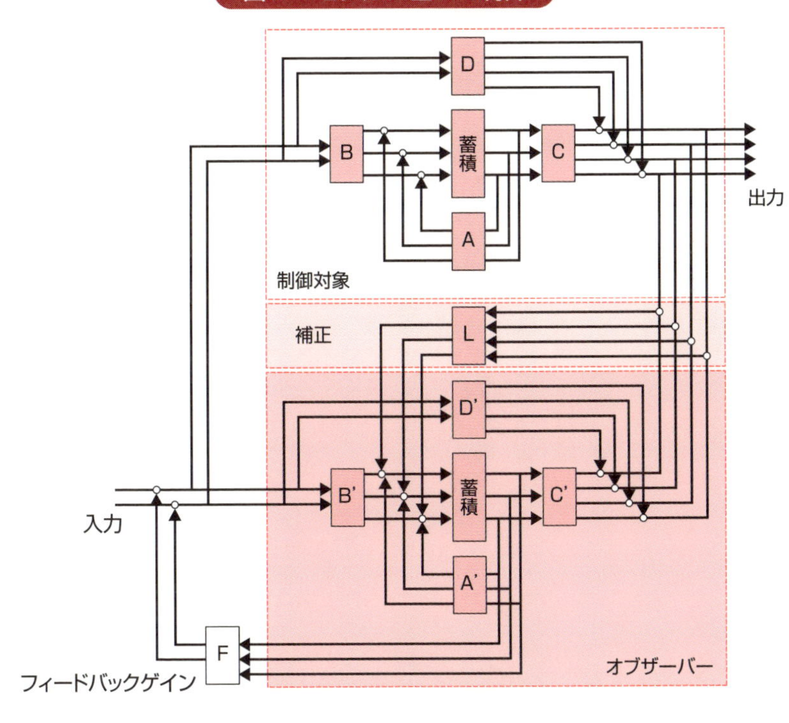

19 ファジー制御

経験を通して学習した熟練者の知恵を活かす制御技術

オブザーバーなどのモデルに基づく現代制御はとても強力で、今では物理または数式モデルさえ手に入れることができれば可制御な全てのシステムを思い通りに制御できます。しかし数式で書けるモデルがなければ現代制御を適用することができません。モデルがない、あるいは曖昧なモデルしかなくても人は経験を通して学習し、システムをうまく制御できます。人間の経験に基づく操作方法は数式で正確に書き表すことが難しくても言語的なルールとして表現できる場合があります。このような言語的な表現のルールで制御する方法はファジー制御と呼ばれ、これを応用した仙台市営地下鉄が1987年に営業運転を開始したことでろいろな分野への応用が進みました。

ファジー制御はファジー論理による推論結果でシステムを制御します。ファジー論理では真と偽の境界が曖昧で、メンバーシップと呼ばれる確率的な数字で表現します。これによって曖昧さを含んだまま論理演算ができるようになります。例えば曲率半径が100mのカーブは40%急で60%緩い、時速50㎞は75%速く25%遅いとします（図1）。また操作するときの加減速度は大体0・3G*で、次の3つの曖昧なルールに従うとします。

①カーブが緩くて速度が遅い時には加速
②カーブが緩くて速度が速い、またはカーブが急で速度が遅い時にはそのままの速度を維持
③カーブが急で速度が速い時には減速

各ルールに従って加速、減速、速度維持それぞれのメンバーシップ集合を求め、最後にそれらの和集合の重心を求めて実際の操作に必要な加減速度を算出します（図2）。曲率半径100mで時速50㎞の例では推論の結果が0・04Gの減速になります。この結果はカーブが緩く速度が少し速いので少しだけ減速するという直感とよく一致します。

要点BOX
- 数式で書けないルールでも制御に使える
- そのためには曖昧さを含んだ論理演算が必要
- ルールは人の経験や知識で決める

図1　ファジー論理の例

急
カーブ
緩い
カーブ
1
0.8
0.6
0.4
0.2
0
0
50
100
150
200
カーブの曲率半径(m)

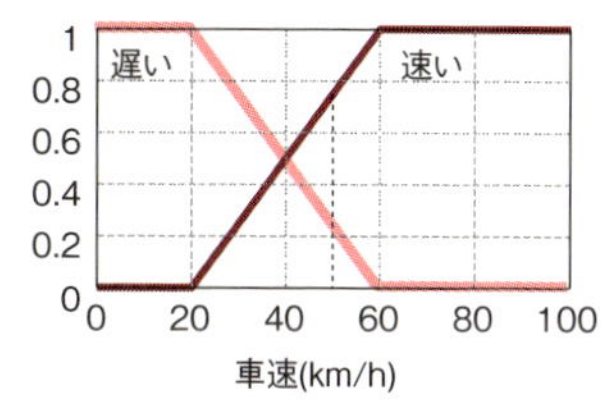

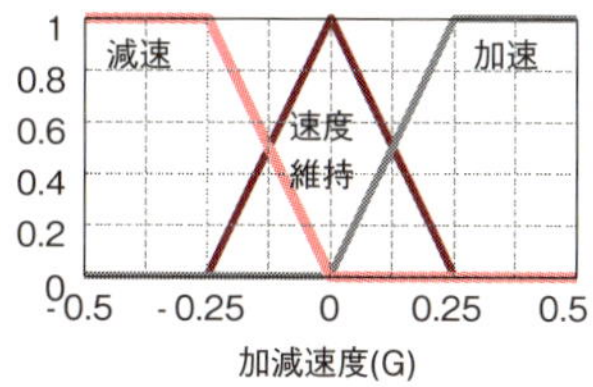

図2　ファジー論理による推論

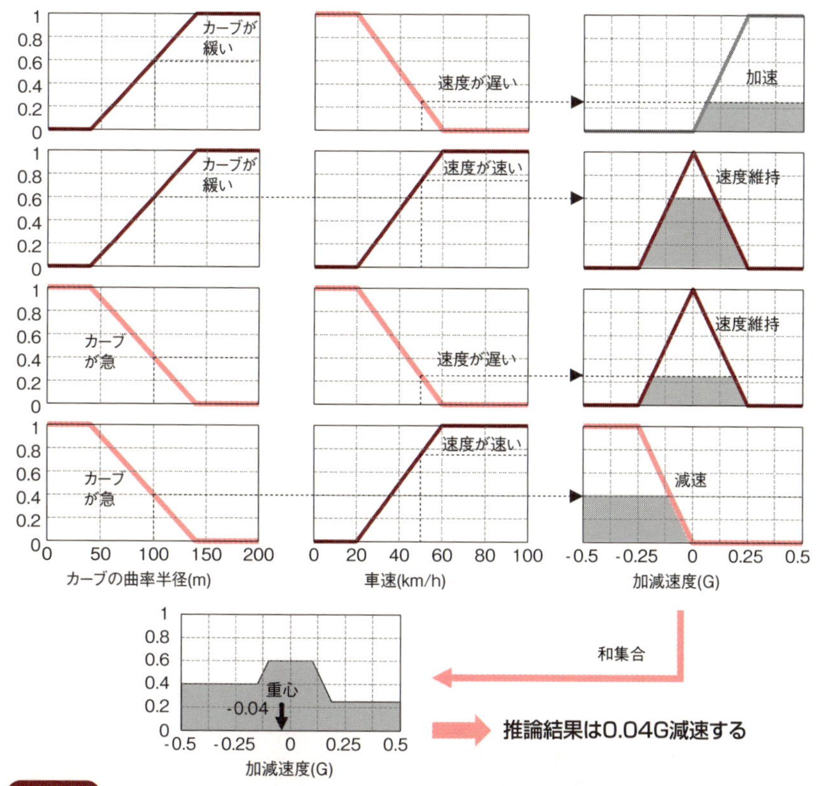

用語解説

G：標準重力加速度。1G=9.8m/s²

20 ニューラルネットワークによる制御

自ら学習する機械による制御

数式でモデル化ができれば現代制御、数式にならなくてもファジー制御を使うことができます。しかしファジー制御技術でシステムを設計できても安定性が保証されません。また制御に使うルールを決めるために熟練者の知識・経験を必要とします。機械が自ら経験を通して学習することができればモデルやルールを設計する必要性がなくなります。これは機械学習と呼ばれ、そのためにニューラルネットワーク（人工神経回路網）が使われます。

人間の脳は1000億個にも上るニューロン（神経細胞）とそれらを接続するためのシナプスで構成されています。五感で外界から刺激を受けるとニューロンはそれらの刺激を蓄積し、その量が一定以上貯まるとシナプスを通して隣のニューロンへ電気信号として次から次へ伝えていきます。このときシナプス荷重と呼ばれる結合の強さ（電気の通りやすさ）が変化して信号が通ったことを記憶します。これがヘッブの法則と呼ばれる学習の仕組みで、この仕組みを人工的に再現するための電子回路網はニューラルネットワークと呼ばれています（図1）。これを応用した制御器はニューロコントローラと呼ばれ、主に次の3種類の構成が考えられています（図2）。

1.直列型

他のコントローラに頼らずにニューラルネットワークだけで操作量を直接生成してシステムを操作。

2.並列型

システムを操作するのにニューラルネットワークの他に従来型のコントローラからの操作量も併せて使うことで学習がまだ十分に進んでいない場合などでも安定性を確保。

3.セルフチューニング型

従来型のコントローラでシステムを操作し、このコントローラの制御則のパラメータを調整するためにニューラルネットワークを使用。

- 学習のための脳の仕組みを人工的に実現
- ニューロコントローラには直列、並列、セルフチューニングの3種類の構成がある

図1　ニューラルネットワーク

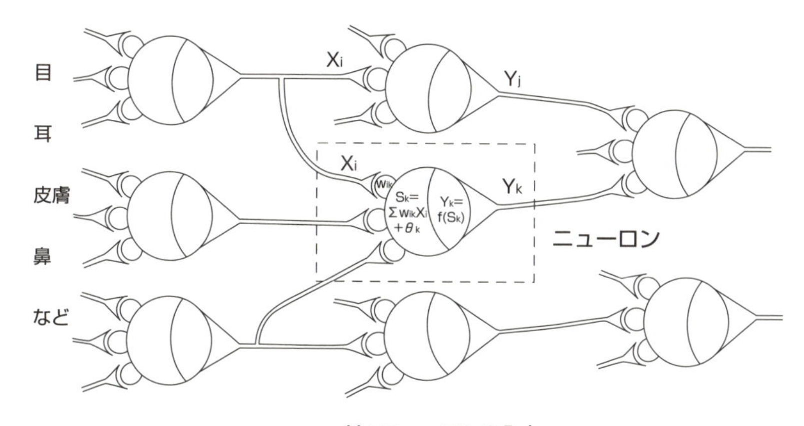

図2　ニューロコントローラの構成

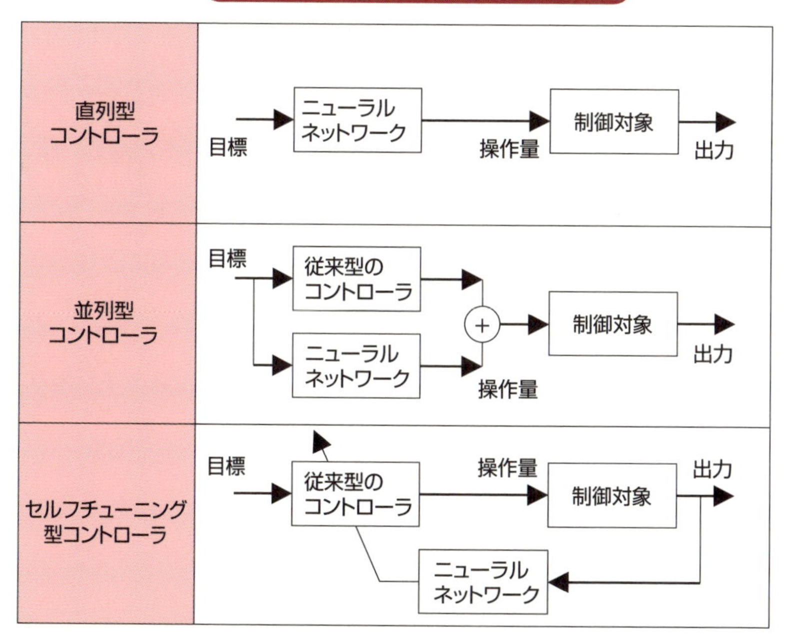

21 “走る”を実現するためのパワートレイン制御技術

モータの制御

ドライバーは、登り坂や下り坂などの道路の状況に合わせてアクセルペダルやシフトレバーで車に与える駆動力を調整し、制限速度を守りつつ車を安全に走らせなければなりません。

ガソリン車の駆動力はエンジンによって生み出され、トランスミッションと呼ばれる可変速機構を介して車輪に伝えられます。アクセルを踏んでから駆動力を得るまでに約0・5秒の遅れがあり、さらにエンジンの動作には強い非線形性があります（図1）。この遅れや非線形性を補正したり排気ガス浄化性能を向上させたりするために現在ではエンジンやトランスミッションを制御するためのECU*が大変複雑化しています（12図1参照）。

一方、EVの駆動力はモータによって生み出され、その遅れはエンジンより小さく、トルクと回転数はそれぞれ電流と電圧に比例します。そのためにモータ制御はエンジン制御よりも演算が簡単で、必要なセンサの数や種類も少なく、出力信号の数も少ない。普通のモータ制御システムは電流と回転2種類のセンサを使い、3相交流を出力します（図2）。

さらにエンジンの回転速度範囲は一般に2000～4000rpm*となっているのに対してモータは0rpmの状態から1万8000rpm程度までトルクを出力することができます。またエンジンの効率は約3000rpmで最も高くなり、それ以外の回転数で急激に悪化するのに対してモータの効率はどの回転数でもほぼ95%程度一定となっています（図3）。エンジンを効率よく使うにはトランスミッションが必要ですが、モータには必要ありません。これによってEVの駆動力の制御がガソリン車よりも簡単にできます。

駆動力の制御が簡単で素早く反応するEVは、ガソリン車よりも自動運転向きと言えます。レベル4や5の完全な自動運転の早期実現を狙う研究開発にはEVがよく使われています。

要点BOX
- ●エンジンに比べてモータの応答性が高い
- ●高効率で、動作範囲も広いので変速機不要
- ●自動運転の早期実現にはEVが使われている

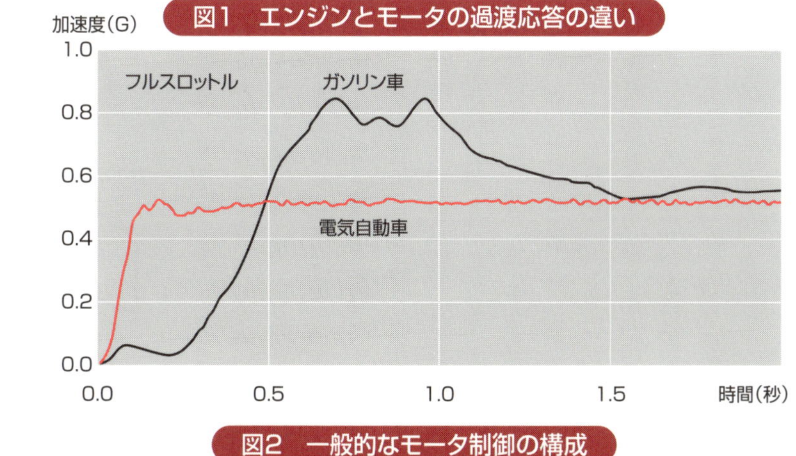

図1　エンジンとモータの過渡応答の違い

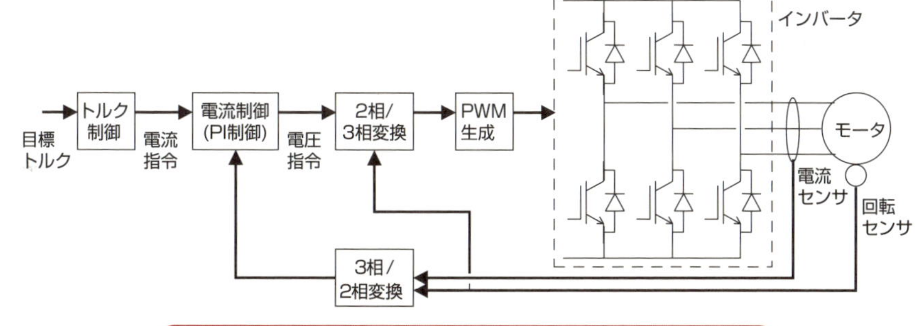

図2　一般的なモータ制御の構成

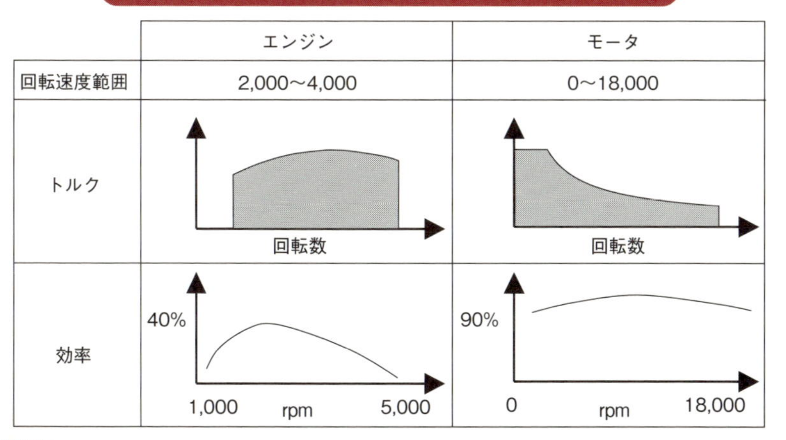

図3　エンジンとモータの出力トルク、効率の違い

	エンジン	モータ
回転速度範囲	2,000～4,000	0～18,000
トルク	回転数	回転数
効率	40% 1,000　rpm　5,000	90% 0　rpm　18,000

用語解説

ECU：Electronic Control Unit（電子制御ユニット）
rpm：1 分当たりの回転数

22 “止まる”を実現するブレーキ制御技術

EVの2種類のブレーキ

“止まる”を制御するのにドライバーはアクセルから足を離してブレーキペダルを踏み、減速力を発生させます。EVではこのとき回生と摩擦の2種類のブレーキを使って車を減速・停止させます。

通常のモータは電力を駆動力に変換しますが、モータの出力軸にトルクを与えて逆に回すと逆起電力が発生してモータは発電機として動作し、運動エネルギーを電気に戻すことができます（図1）。この動作は回生と呼ばれ、車両の運動エネルギーを電気に変換して回収することで制動力を得る仕組みは回生ブレーキと呼ばれています。

減速時に運動エネルギーを回収してバッテリを充電できればその分EVの走行距離を伸ばすことができます。しかしバッテリが一杯で電気を受け入れるスペースがないなど、条件によって回生ブレーキを使えないことがあり、摩擦ブレーキを併用します。

摩擦ブレーキではブレーキパッドを車輪などに押し付けてその運動エネルギーを熱に変えて捨てます。

人間が運転するEVの場合ではドライバーがブレーキペダルを踏んだときに違和感のない自然な減速度と十分な制動力が得られるのと同時にできるだけ多くエネルギーを回収するように摩擦と回生ブレーキの配分をシステムが最適化します（図2）。回生ブレーキを積極的に活用してアクセルペダルから足を離すだけでブレーキに踏み替えなくても制動力が得られるようにしたシステムも開発されています。これはワンペダルなどと呼ばれ、ペダル踏み間違いによる事故の低減につながると期待されています。

自動運転EVの場合では回生ブレーキが多く使えるようにシステムが予めバッテリなどの車両の状態や走行ルート、走行モードなどを計画し、その通りに制御することができます。その結果自動運転EVの走行距離を長くできると思われています。

要点BOX
- ●EVは回生と摩擦ブレーキを組み合わせる
- ●回生とは車両の運動エネルギーを電気に変換
- ●自動運転で回生ブレーキを多くできる

図1　モータの動作状態

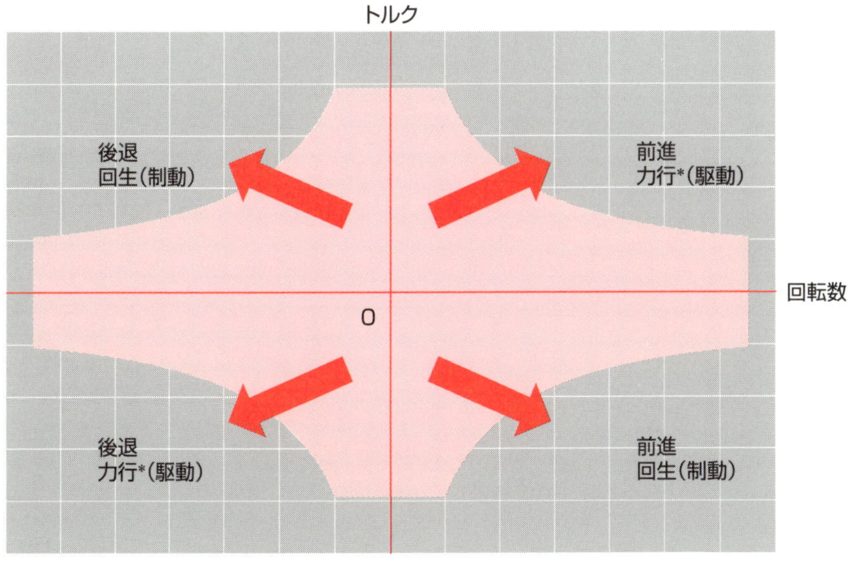

実際は回転数が低いときに回生できない領域がある。

図2　回生と摩擦ブレーキの協調制御

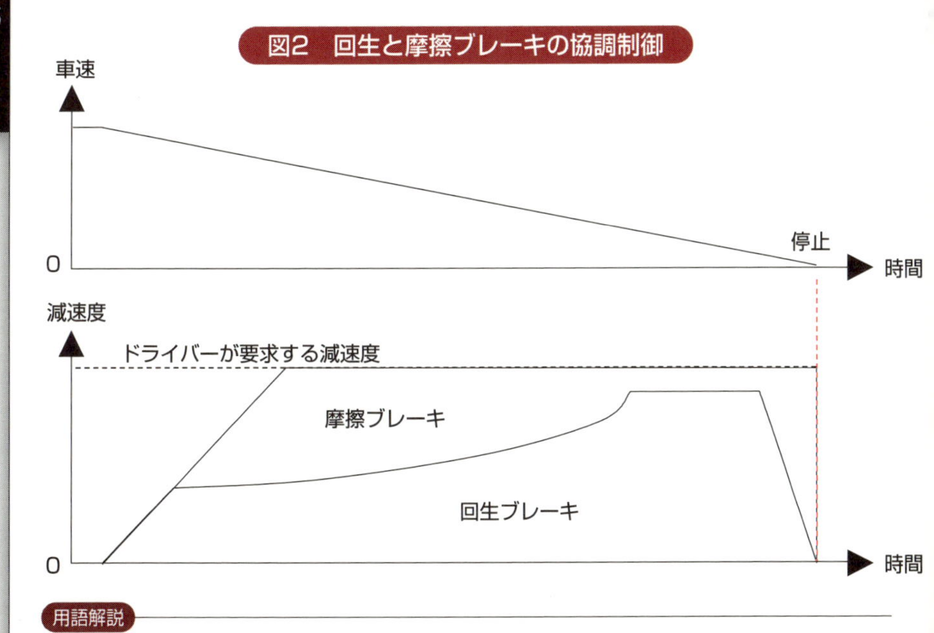

用語解説

力行：リッコウまたはリキコウ、リョッコウ、リョクコウと読む。車や電車などのモータやエンジンの動力を駆動輪に伝えて加速、または上り勾配で均衡速度を保つこと

23 "曲がる"を実現するステアリング制御技術

EVの2種類のステアリング

車の進行方向を変えるのにステアリングと呼ばれる前輪の角度を変える装置が使われ、とくに4輪車にはアッカーマンステアと呼ばれる方式が使われています（図1）。この方式では旋回の内側操舵輪の切れ角を外側よりも大きくして前後4輪の回転中心が同じ点になるようにしています。

アッカーマンステアの旋回半径は内輪と車体が干渉しないように一定値以上に設定する必要があります。またカーブを曲がるときにカーブの外側の車輪が内側よりも長い距離を走らなければならず、スムーズにカーブを曲がるには外輪を内輪よりも速く回転させる必要があります。そのためにガソリン車ではデフ*と呼ばれる機構が使われています。デフは1つしかないエンジンの駆動力を左右に分けてそれぞれの車輪に与えます。そのとき抵抗の軽い外輪のほうにより多くの駆動力を与えます。その結果、外輪の回転数が上昇して車がスムーズにカーブを曲がることができます。

EVはモータを左右に分けたり、4輪それぞれ用のモータを搭載してそれぞれを独立に駆動したりすることが比較的簡単にできます。これによって重たいデフを使わなくてもそれぞれのモータの回転数やトルクを個別に調整して車をスムーズに旋回させることができ、EVを軽量化できます。

さらにEVの進行方向を制御するのに、輪の向きを変えず左右の駆動力に差を積極的につけることで旋回力を発生させるスキッドステアと呼ばれる方法があります。機構によるステアとスキッドステアの併用によって、最小旋回半径が小さく小回りの利く車を設計することができます。もっと積極的に左右片方のモータを力行、もう一方を回生状態にすれば、EVをさらに小さく旋回させることができます（図2）。ステアリングの自由度の高さからもEVは自動運転向きと言えます。

要点BOX
- ●アッカーマンでは内輪の切れ角が外輪より大きい
- ●EVは機構とスキッドによるステアを併用することでその場で回転することもできる

図1　アッカーマンステア

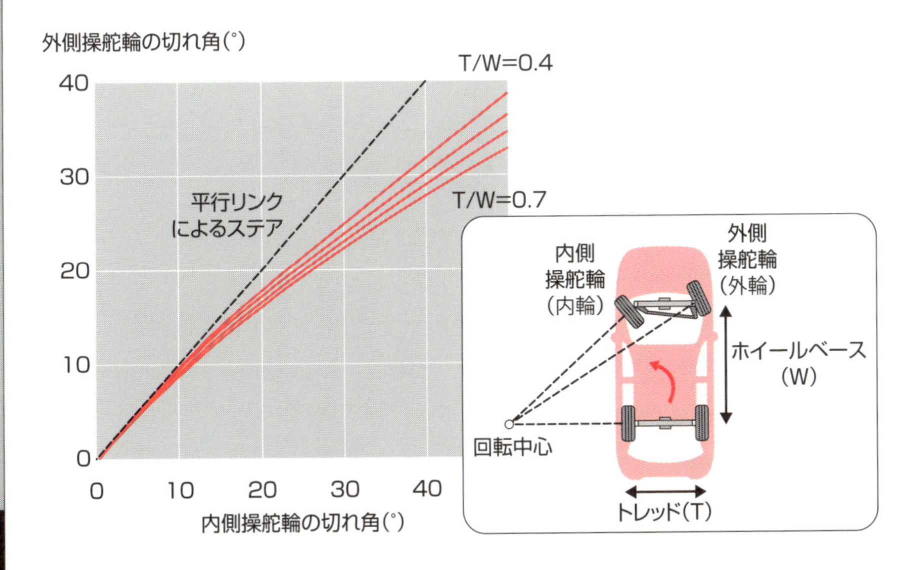

図2　力行と回生をうまく利用したEV特有のステアリング

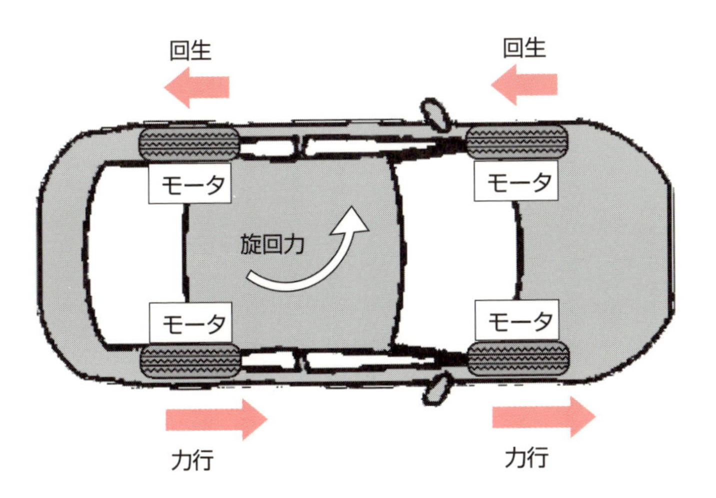

用語解説

デフ：デファレンシャルギヤ（差動歯車）の略。回転差を吸収するために左右の駆動輪の間に設置されている

24 バイワイヤ技術

電子だけで“走る”“止まる”“曲がる”を制御する

ガソリン車の時代から“走る”“止まる”“曲がる”は機械式制御を基本とした上でドライバーの運転負荷を軽減するために電子制御を補助的に使っています。しかし万が一電子システムが故障する際にも最終的にドライバーだけの力で安全を確保できるように機械的な制御機構が残されています。ところがレベル3以上の自動運転では基本的にシステムが運転し、システムがどうしても運転を続行できないときだけ人間のドライバーが運転を交代します。この場合にはバイワイヤと呼ばれるアクセル、ブレーキ、ハンドルを完全な電子制御にすれば制御の自由度が大きくなります。ただし、レベル4以下ではドライバーの運転が必要な場合もあるので従来のペダルやハンドルを残しておかなければなりません。

普及が最も早いバイワイヤはアクセルで、アクセルペダル開度をセンサで読み取り、車速などの情報と合わせてエンジンやトランスミッション、モータなどのパワートレインを制御します。次に普及したのはブレーキで、ブレーキペダルの操作をセンサで検知し、それに応じた力をモータなどで作り出してブレーキパッドをブレーキロータに押し付けます（図1）。

ステアバイワイヤはEPS*の単なる進歩以上の難しさがあります（図2）。ハンドルを通してドライバーに路面の状況を伝える必要があるためです。荷重センサを使ってタイヤからの路面情報を読み取って、アクチュエータで反力を再現し、ハンドルに戻す機構が必要です（図3）。またモータとECUをそれぞれ3個ずつ使ってシステムの信頼性を高める工夫が考案されています。普段3系統の内2個は左右の操舵輪を動かすために使い、必要な操舵角を作り出し、最後の1個は反力を作るために使います。3個のECUはお互い監視し合って不具合が発生した場合には即座に制御を交代することでハンドル操作を維持します。

要点BOX
- ●機械的なリンクなしに電子だけで制御する
- ●自動運転を実現するための操作の基礎になる
- ●電子システムが故障したときの安全確保が必要

図1　ブレーキバイワイヤの構成

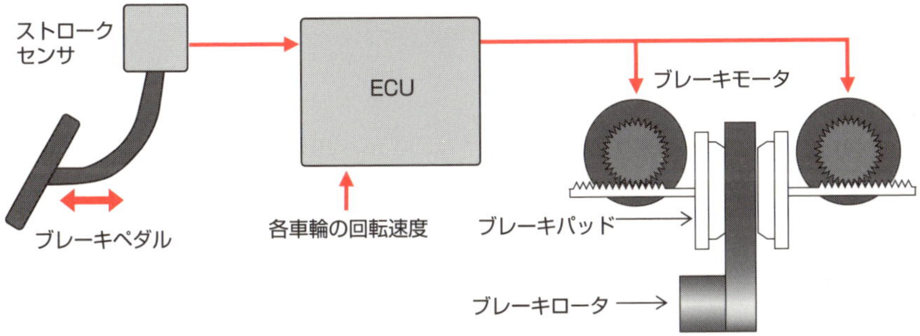

図2　EPSの例

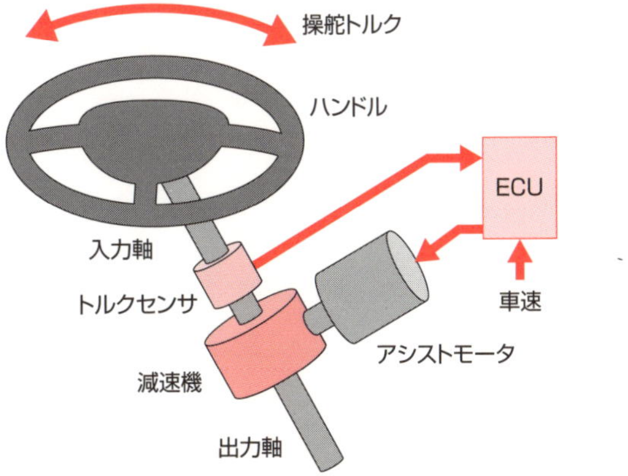

図3　ステアバイワイヤの構成例

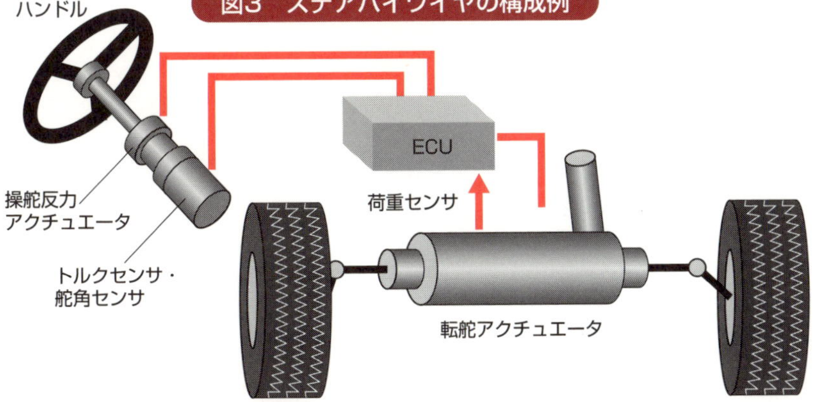

用語解説

EPS：Electric Power Steering、電動パワーステアリング

Column

飛行機の制御

飛行機の自動操縦は車よりも早くから採用され、実用化が進んでいるので車の自動運転の分野でも大変参考になります。

大空を自由に飛ぶ飛行機の姿勢は次の3つの回転で決まります（図）。

1.前後方向の軸の周りの回転（ロール）

2.ロールに直交する左右方向の軸の周りの回転（ピッチ）

3.ロールとピッチ両方に直交する上下方向の軸の周りの回転（ヨー）

ロールを制御するのに飛行機のパイロットは操縦桿を傾けてエルロンを動かします。操縦桿を右に傾けると右側のエルロンが上がり、左側が下がります。これによって機体全体が右に傾いて右旋回します。ヨーを制御するのにパイロットはラダーペダルを踏みます。右のラダーペダルを踏むとラダーが右に振れて機首が右に向き、機体が右旋回します。エルロンとラダーのどちらだけでも飛行機を旋回させることができますが、バランスの取れた安定で滑らかな旋回をするにはエルロンを傾けると同時にラダーを踏み込む必要があって、パイロットの技量が要求されます。

ピッチを制御するのにパイロットは操縦桿を引いたり押したりして昇降舵を動かします。操縦桿を引くと昇降舵が上がり、機首が上に向きます。この時機体が失速しないようにエンジン出力を増して速度を上げる必要があります。

このように飛行機を操縦するには同時に多くの操作をしなければならず、高度な技量が要求されます。また突風などの外乱に対しても瞬時に機体を安定させる必要があるのでパイロットにとっては負担が大きい。旅客機などではパイロットの負担を減らし、旅客の乗り心地をよくするために早くからコンピュータによる自動操縦が導入されています。

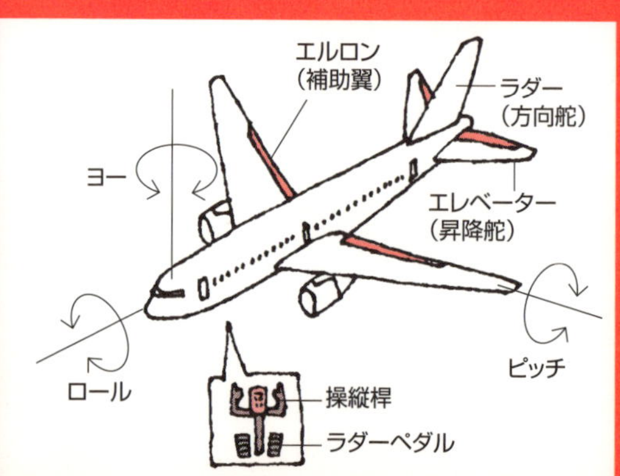

図　飛行機の姿勢制御

第3章

走行環境に関する認知・判断技術

25 先進運転支援（ADAS）や自動運転に必要な各種センサ

いろいろなセンサが必要な理由

　車を安全に走らせるには少なくとも次のような情報を確認しなければなりません（図1）。

①車線や道路形状などの道路に関する情報
②信号や道路標識などの交通規制に関する情報
③前方車両や対向車両、後方車両、後側方車、バイク、自転車、歩行者、静止障害物などの走行の障害になるものに関する情報

　さらにこれらの情報を検知する状況には晴天の昼間だけでなく、曇りや雨、雪などの悪天候、夜などがあります。このようないろいろな状況下で車線や障害物などを間違いなく認識するために、レーダー、カメラなど複数のセンサが使われています。それぞれのセンサには得意不得意があって現在のところは1種類のセンサだけで必要な全ての情報を得ることはできません（図2）。いろいろなセンサの中でも、カメラやLiDAR（ライダー）から得られる映像は非常に多くの重要な情報を持っていて、これをうまく使えば他のセンサを不要にできる可能性があります。実際、人間のドライバーはほとんど目から得られる視覚情報だけで運転しています。しかし他のセンサの出力と違って映像情報は生のままでは制御に使うことができません。映像情報を読み解き、制御に必要な情報を抽出するために画像処理、画像認識技術が使われています。

　人間は物を見るとき感知した視覚情報を脳で処理、認識しています。人間の目は脳の一部が突き出している器官とも言われるほど脳と密につながっていて非常に高度な認識が行われています。現段階では機械による画像認識の認識率は人間の目に比べて低く、運転には不十分な場合があります。そのためにセンサフュージョンと呼ばれる不足の分を他のセンサで補う方法が使われています。

　この章では走行環境を認識するための各種センサや画像認識、センサフュージョン技術を紹介します。

要点BOX
●全ての必要な情報を得る万能センサはまだない
●そのため適材適所で各種センサが使われている
●中でも画像から多くの重要な情報が得られる

図1　安全運転のために注意しなければならないものの例

図2　いろいろなセンサの利点と欠点

	検出範囲	視野角		特徴
ミリ波レーダー	数m〜数10m	数°	利点	1. 雨などの悪天候や夜でも使える。 2. 相対速度を精度良く検出できる。
			欠点	1. 方位分解能がそれほど高くない。 2. 電波の反射率の低い木材などの物体を検出できない。 3. 車線や標識の検出に使えない。
単眼カメラ	数cm〜数100m	数十°	利点	車線や標識、障害物など車の運転に重要なほとんどの情報を検出できる。
			欠点	1. 夜や逆光、悪天候に弱い。 2. 距離の検出精度はそれほど良くない。
ステレオカメラ	数m〜数10m	数°	利点	単眼カメラの機能と精度の良い距離検出機能を併せ持っている。
			欠点	夜間や逆光、悪天候に弱い。
LiDAR	数m〜数10m	数°〜数十°	利点	1. 車線、標識、障害物までの距離を検出できる。 2. 夜でも使える。 3. 方位分解能が高い。 4. 電波の反射率の低い木材などの物体でも検出できる。
			欠点	1. 雨などの悪天候に弱い。 2. コストが高い。
遠赤外線カメラ	数cm〜数10m	数°	利点	夜間でも歩行者や動物を検出できる。
			欠点	1. 温度差がなければ識別できない。 2. 服などに遮られると検出できなくなる。

26 ミリ波レーダー

相対速度を直接検知できるセンサ

　ミリ波レーダーとは、ミリ波を対象物に向けて発射し、その反射波を測定することで対象物までの距離や方向を測る装置です（図1）。ミリ波は周波数が30GHzから300GHzまでの電波で、雨や霧などを透過でき、金属で強く反射される性質があります。これらの性質は周りの車両を検出するのに適しているのでミリ波レーダーは20年以上前から衝突事故防止のための警報や表示装置などに実用化されてきました。現在、日本において車での利用が許可されているミリ波は24GHz帯*、76GHz帯と79GHz帯、160GHz帯です。

　一般にレーダーは一定周波数の電波をパルス状に送信します。しかし対象物に当たって反射してきた電波を観測すると、対象物と観測者の間の相対速度によって反射波の周波数が変化します。これは救急車が近づいてきたときにそのサイレン音が高く、離れていくと低く聞こえるドップラー現象と同じ原理によって起きています。

　電波を連続に出し続け、その周波数を時間とともに変化するようにすることでドップラー現象を利用できます。これはFM-CW（周波数変調連続波）レーダーと呼ばれ、送信波と反射波の周波数差（ビート周波数）を測定することで対象物までの距離と同時に対象物との相対速度を精度よく読み取ることができます（図2）。

　当初ミリ波の送受信にGaAs HEMT*などの特殊なトランジスタが使われていてコストが高く、採用が進みませんでしたが、近年は低コストのSiGeやCMOS化が進んで普及するようになりました。

　ミリ波レーダーはとくに相対速度を簡単に測定できるので前方車両との車間距離の測定や後方、後側方から接近してくる車両の検出に適し、ACC（車間距離制御機能付き定車速走行装置）などのセンサとしての応用が大変期待されています。

要点BOX

- ●ミリ波は雨や霧を透過でき、金属に強く反射する
- ●衝突防止警報などで20年以上前から使われる
- ●ドップラー効果で相対速度を精度よく測れる

図1　ミリ波レーダー

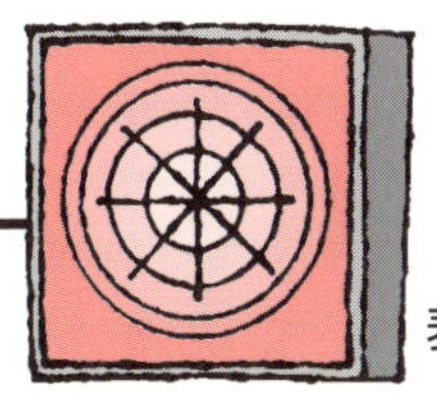

図2　ＦＭ－ＣW式ミリ波レーダーの距離・相対速度測定原理

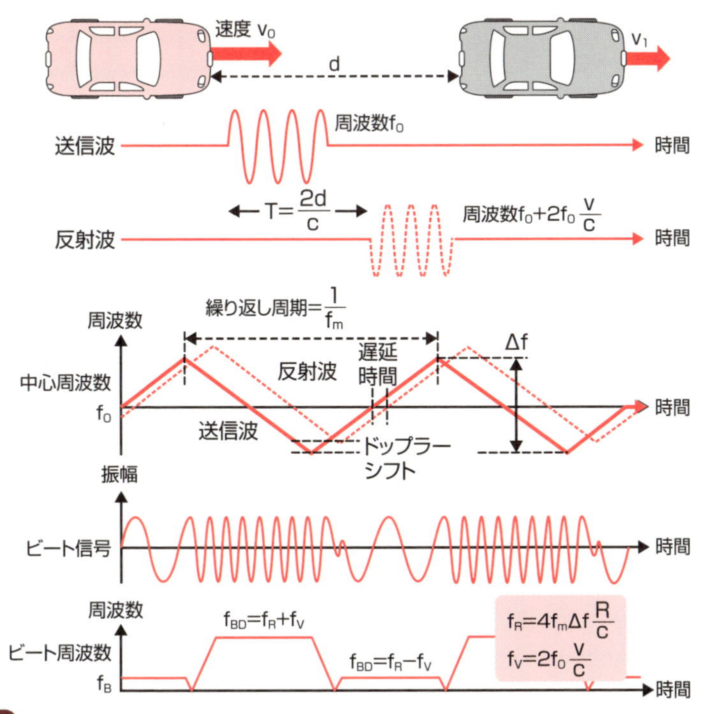

用語解説

2.4GHz 帯：正確には 30GHz 以下の電波はミリ波ではないので 24GHz 帯のレーダーは準ミリ波レーダーと呼ばれる

GaAs HEMT：ガリウムヒ素を使って作られた高電子移動度トランジスタ

27 レーダーの最大探知距離と方位分解能

ミリ波レーダーの性能

余裕を持って衝突を回避したりするためには、前方車両を早く検出できるようにレーダーの探知可能距離は長いことが望まれます。ミリ波レーダーの最大探知距離とは、どのくらい先の車を検出できるかをあらわす距離で、レーダー方程式によって求めることができます。

電波は四方に広がる性質を持っているので送信機から発して対象物に届く電波の割合は距離の2乗に反比例します。さらに対象物で反射されて受信機に届く割合も距離の2乗に反比例します。合わせると送信機から出た電波が受信機に戻ってくる割合は距離の4乗に反比例します。この関係を式にあらわしたのがレーダー方程式で、この方程式でレーダーが受信できる最小電力から最大探知距離を求めることができます（図1）。

レーダーの性能は最大探知距離の他に方位分解能で決まります。方位分解能が高ければ距離だけでなく対象物の形状などもわかり、応用範囲が広がります。方位分解能を上げるには送信する電波のビームを細くすればよいのですが、ビームの幅はアンテナの開口部の直径に反比例します（図2）。細いビームにするにはアンテナの開口を大きくしなければならず、外観や搭載性などの理由から開口部の大きさに制限があります。

送信ビームを走査するために機械式やフェーズドアレイ方式などの方法が使われています。機械式はアンテナをモータなどで駆動することで比較的簡単に鋭いビームを得ることができます。しかし走査機構を必要とし、走査速度が遅く振動に弱いなどの欠点があります。フェーズドアレイ方式は複数のアンテナ素子を配列し、それぞれの素子を励振する信号の位相を制御することでビームを走査します。ビームを高速に走査できるのが最大の特徴です。

要点BOX
- 性能は最大探知距離と方位分解能で決まる
- 受信電力は距離の4乗に反比例する
- 方位分解能はアンテナの大きさで決まる

図1　レーダー方程式

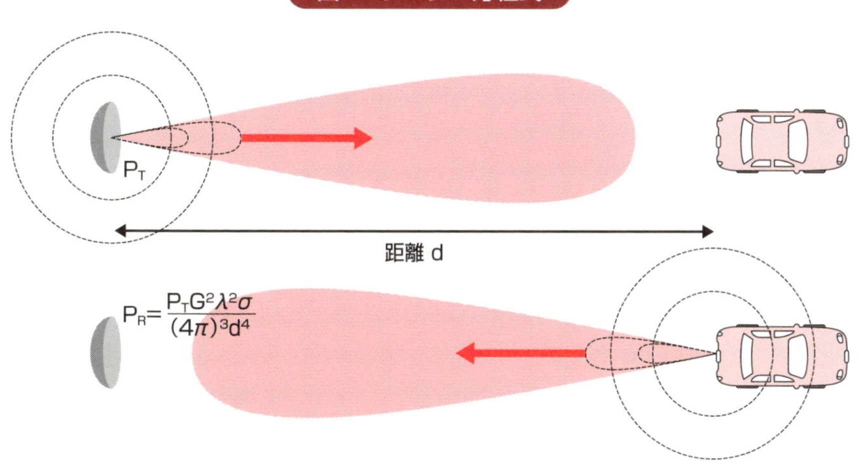

図2　半値ビーム幅

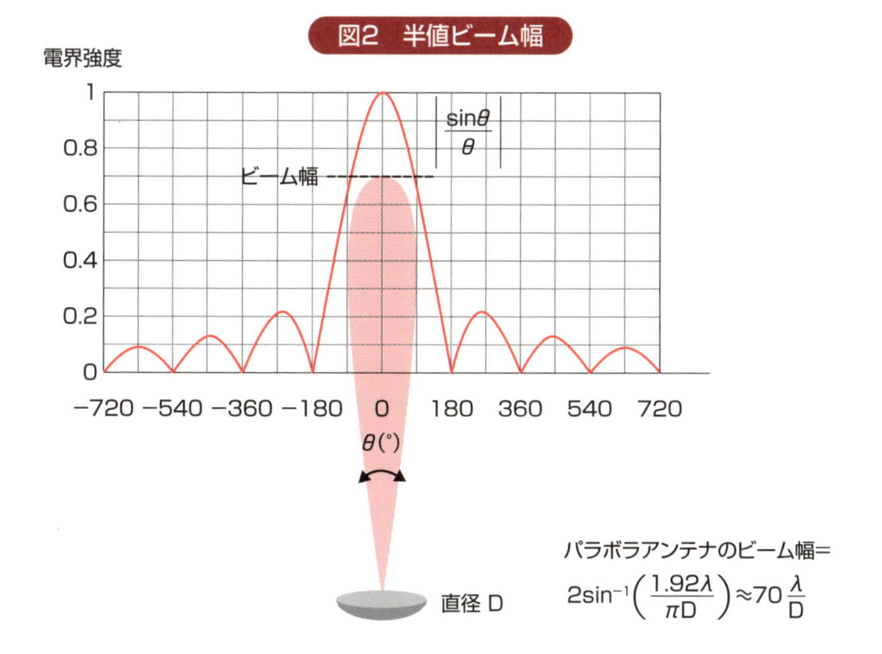

28 カメラ

いろいろなものを検知できる汎用センサ

カメラは車線や標識、歩行者、障害物など多くの安全運転のために確認しなければならない重要な情報を提供できるので、ADASや自動運転に不可欠なセンサと考えられています。

元々カメラは入力光をレンズで結像させてフィルムに焼き残すことで後から映像を見たり再生したりすることができるようにするための機械ですが、車載ではフィルムではなくイメージセンサが使われています（図1）。イメージセンサとは多くの画素（ピクセル）を配列した半導体チップで、画素はレンズを通ってきた入力光を電気に変換するためのフォトダイオードとその画素の出力を順番に読み出すためのトランジスタなどで構成されています（図2）。

それぞれの画素の出力は単なる光の明暗しか情報を持っていませんが、それらが多く集まることでその空間や時間的なつながりの中に多くの情報が含まれるようになります。画像の生データに隠れている様々な情報を取り出すには各画素の空間や時間的な関係を読み解く必要があって、そのために画像処理や画像認識と呼ばれる技術が使われています。

走行環境を認識するための車載カメラはスマホなどに使われている民生品のカメラに比べて大変幅広い光環境で動作することが要求され、0．1ルクス*程度から1万ルクス*以上の明るさでもちゃんと撮像できなければなりません。また逆光やトンネルの出入り口のような明るさの急変などにも対応できなければなりません。さらに建物や橋、街路樹などの影を誤認識しないことも要求されます。

現在のカメラ技術では単体でこれらを全て対応できていないので自ら積極的に光を発するアクティブカメラなどの技術が開発されています。またレーダーなどの他のセンサと合わせて使うことでお互いの欠点を補うセンサフュージョン技術の検討も続けられています。

要点BOX
- ●ADASや自動運転に不可欠と考えられている
- ●情報を取り出すには画像認識が必要
- ●逆光など幅広い光環境の対応が要求される

図1　車載カメラの構成

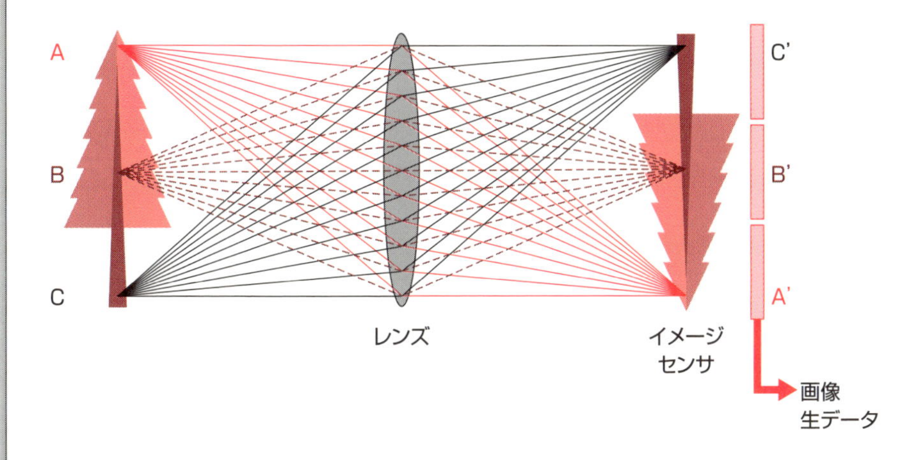

図2　イメージセンサの構成例

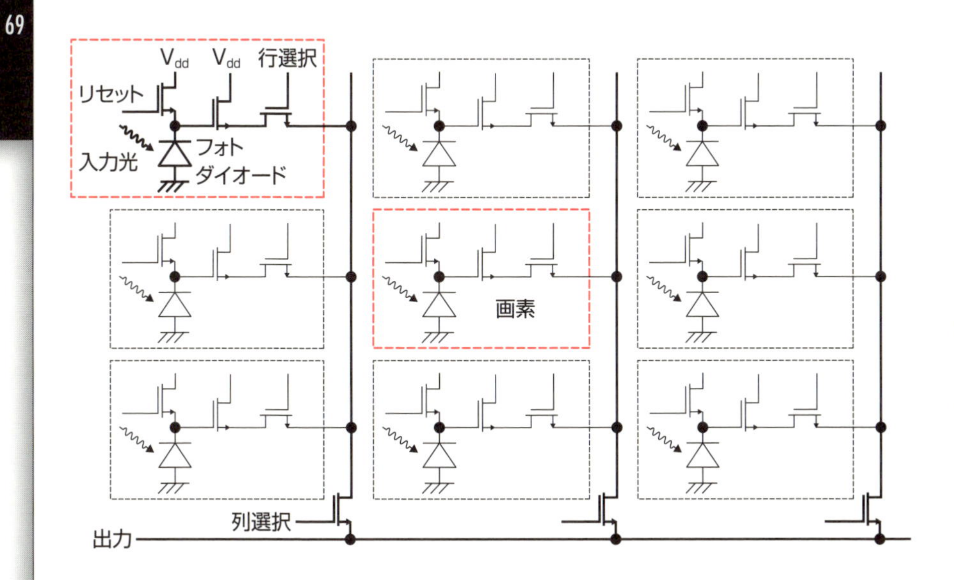

用語解説

0.1 ルクス：月明かり程度の明るさ
1 万ルクス：晴天昼間の太陽光の明るさ

29 空間フィルタリング処理

画像処理の基礎

　原画像の対応する画素の値だけでなくその近傍の画素の値も参照することで入力画像の中に隠れている空間的な関係を読み出すことができます。このような処理は画像処理の基本になっていて空間フィルタリング処理と呼ばれています。

　2次元画像の画素の位置をあらわすために縦横方向の座標を使い、(i,j) のようにあらわします。画像処理とは (i,j) の画素値を決められたルールに従って別の値に置き換えることで、空間フィルタリング処理とはフィルタの中心を入力画像の (i,j) に重ねて積和演算を行うことで画像の中に含まれる空間的な情報を抽出するための画像処理のことです (図1) *。出力画像の (i,j) の値を定めるのに入力画像の (i,j) の値とその周囲の値を所定の重みを掛けて足し合わせますが、このときに使う重み付けはフィルタまたはマスク、オペレータ、カーネル、作用素などと呼ばれています。

　典型的なフィルタの例をいくつか挙げてその効果を説明します。

1.移動平均フィルタ

　例えばサイズが3×3の移動平均フィルタとは (i,j) とその上下左右および四方の斜め方向、計9画素の値を平均して出力画像の (i,j) 画素の値とするフィルタです (図1、2)。このフィルタでゴマ塩雑音と呼ばれる画像中に含まれる白・黒の不規則的なパターンを取り除くことができます。

2.ガウシアンフィルタ

　単純に平均するのではなくフィルタの中心に近いほど大きな重みを掛け、中心から離れると重みが小さくなるようなフィルタは加重平均フィルタと呼ばれ、中でも重みが正規分布 (ガウス分布) の形をしているものはガウシアンフィルタと呼ばれています。これによって単純平均よりも滑らかで自然な平滑化された出力画像を得ることができます。

要点BOX

- ●空間的な関係を読み出すための技術
- ●出力は入力とフィルタの積和演算で決まる
- ●平滑フィルタで雑音を取り除いたりする

図1　空間フィルタリング処理

a_{11}	a_{12}	a_{13}
a_{21}	a_{22}	a_{23}
a_{31}	a_{32}	a_{33}

⊗

b_{11}	b_{12}	b_{13}
b_{21}	b_{22}	b_{23}
b_{31}	b_{32}	b_{33}

$$= a_{11}b_{11}+a_{12}b_{12}+a_{13}b_{13}+a_{21}b_{21}+a_{22}b_{22}+a_{23}b_{23}+a_{31}b_{31}+a_{32}b_{32}+a_{33}b_{33}$$

積和演算

畳み込み演算

113	217	240	242	235	…	240
28	45	91	189	255	…	224
22	26	33	46	103	…	236
25	26	35	37	36	…	215
25	20	22	20	32	…	130
⋮	⋮	⋮	⋮	⋮	⋱	⋮
35	37	43	50	83	…	131

⊗

1/9	1/9	1/9
1/9	1/9	1/9
1/9	1/9	1/9

=

	91	125	159	191	…	
	37	59	92	127	…	
	26	29	40	64	…	
	21	22	26	32	…	
	⋮	⋮	⋮	⋮	⋱	

図2　移動平均フィルタ

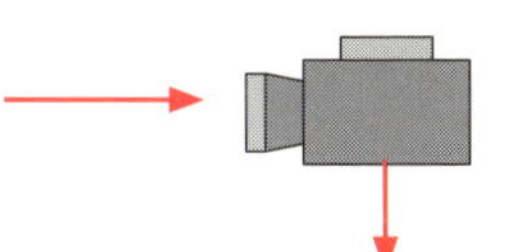

113	217	240	242	235	225	236	236	237	237	238	239	239	239	239	239	239	239	240	241	240
28	45	91	189	255	227	244	242	243	243	244	244	244	244	244	244	244	243	243	246	244
22	26	33	46	103	200	252	240	247	247	248	250	251	250	250	250	250	249	251	229	236
25	26	35	37	36	52	115	191	255	254	254	251	240	243	237	239	238	239	235	191	215
25	20	22	20	32	48	43	50	42	75	142	171	181	214	227	226	122	119	143	65	130
10	11	17	13	19	35	37	46	52	45	53	97	145	202	206	209	125	117	90	117	131
23	22	35	48	40	63	57	46	61	95	119	188	162	166	199	195	172	170	153	159	144
26	28	29	25	26	43	51	63	109	98	72	99	112	117	80	104	128	134	126	131	161
18	21	28	36	45	51	63	110	65	62	52	62	66	81	110	99	115	144	172	180	167
29	35	40	42	49	72	105	46	61	56	55	73	130	128	133	164	163	161	141	138	148
35	37	43	50	83	87	38	55	52	47	44	50	58	67	58	66	134	129	142	136	131

⊗

1/9	1/9	1/9
1/9	1/9	1/9
1/9	1/9	1/9

	91	125	159	191	220	234	242	241	243	243	244	244	244	244	244	244	244	242	241	
	37	59	92	127	165	196	225	240	248	248	247	246	245	245	244	244	244	236	232	
	26	29	40	64	98	132	159	178	196	210	221	228	233	237	227	215	205	191	188	
	21	22	26	32	46	69	92	112	130	149	170	194	211	223	203	182	159	146	146	
	21	23	27	35	42	47	48	57	76	109	140	170	189	205	187	162	135	126	126	
	22	25	28	35	41	49	58	68	78	96	116	143	154	164	158	150	135	133	135	
	26	30	35	42	49	61	69	79	81	94	104	117	121	128	134	140	146	152	155	
	28	32	36	43	56	67	75	74	70	70	80	96	106	113	122	135	143	147	152	
	32	37	46	57	66	70	66	62	55	56	66	79	92	101	116	131	145	149	151	

*これは実際には空間フィルタリングの中でも線形のものだけ。周囲画素の最大値や最小値を取り出すなどの非線形空間フィルタリングもある。

30 エッジ抽出

エッジにこそ多くの情報が集まっている

エッジとは輝度が大きく変化する境界のことで、輝度が連続しているところよりも多くの空間に関する情報を含んでいて画像認識によく使われています。人間の視覚でも特定のエッジの方向に反応する神経細胞が見つかっています。

入力画像からエッジを検出するための典型的なフィルタをいくつか紹介します。

1.1次微分フィルタ

垂直方向の1次微分フィルタとは、(i,j)またはその上画素の値から(i,j)の下画素の値を引いた値を出力するフィルタです。水平方向も同様に定義できます。垂直、水平それぞれの方向の微分フィルタを使って横、縦それぞれの方向の輪郭を取り出すことができます。

2.ラプラシアンフィルタ

これは(i,j)の画素値の8倍から上下左右および四方の斜め方向、計8画素の値を引いた値を出力するフィルタです(図1)。このフィルタは空間の2回微分に相当し、縦、横、斜めいずれの方向のエッジに対しても大きい値を出力し、水平、垂直、斜めいずれの方向の輪郭も取り出すことができます。

3.ソーベルフィルタ

1次微分フィルタは雑音に敏感に反応する傾向があるので画像を平滑化してから微分するようにしたのがソーベルフィルタです(図2)。垂直ソーベルフィルタではまず(i,j)の下画素の値の2倍と右下、左下両隣画素の値の和を計算し、さらに上の画素値の2倍と右上、左上の画素値を引いて出力とします。水平ソーベルフィルタも同様に定義されます。

4.LoG(laplacian of Gaussian)フィルタ

LoGフィルタとは入力画像をガウシアンフィルタで平滑化してからラプラシアンフィルタでエッジ抽出するフィルタです。人間の網膜の感度分布とよく似た特性を持っていると言われています。

要点BOX

- 空間に関する多くの情報がエッジに集まる
- 微分やソーベルフィルタなどでエッジを読み出す
- エッジには垂直や水平などの方向がある

図1　ラプラシアンフィルタ

周囲8画像の値の
1/8倍を引いた値を出力

-1	-1	-1
-1	8	-1
-1	-1	-1

図2　ソーベルフィルタ

（垂直）

-1	-2	-1
0	0	0
1	2	1

（水平）

-1	0	1
-2	0	2
-1	0	1

31 車線を見つけるためのハフ変換

直線を検知するための画像認識技術

車線逸脱警報やLKAS（6参照）などの実現には、前方の風景をカメラで撮像し、画像上から車線を検出しなければなりません。そのために入力画像からエッジを抽出、エッジ画像からレーンマーカーを見つけ、レーンマーカーから車線を推定します。レーンマーカーとは車線の右や左側に引かれた白や黄色の実線や破線のことで、まっすぐな道であれば画像上で直線として写ります。画像上の直線を検知すればレーンマーカーを見つけられますが、レーンマーカーが汚れていたり一部が水たまりや雪などで隠れていたり影や道路補修痕があったりして検出しにくい場合がよくあります。

ハフ変換で一部しか見えていない直線や破線を効率よく検出できます（図1）。画像から注目すべき点をピックアップし、それぞれの候補点を通って傾きの異なった直線をたくさん引きます。多くの候補点（例えば同図のABC）を通る直線が見つかればこれらの候補点が直線状に並んでいることが分かり、検出したい直線が見つかります。一方、直線状に並んでいない候補点（例えば同図のD）に対してはそのような直線を見つけることができません。

横軸に傾きθ、縦軸に原点からの距離ρを取って作られる平面をパラメータ平面と呼び、ある点を通る色々な傾きの直線の軌跡はパラメータ平面上では一本の正弦波状の曲線になります。パラメータ平面上で注目している候補点に対応する正弦波状の曲線が多く交わる点があればこの点に対応する画像上の直線が見つかります。

画像に写っている直線は必ずしも車線だけではなく横断歩道や電柱など色々あります（図2）。路面に対して垂直に立っているものは走行の障害になることが多く、これを見つけるには水平ソーベルフィルタなどで縦方向のエッジを抽出し、ハフ変換で直線を検出します。

要点BOX
- ●真っ直ぐな道のレーンマーカーは直線に写る
- ●でも汚れなどで完全な直線にならないことがある
- ●欠落した直線の検出にはハフ変換がある

図1　ハフ変換

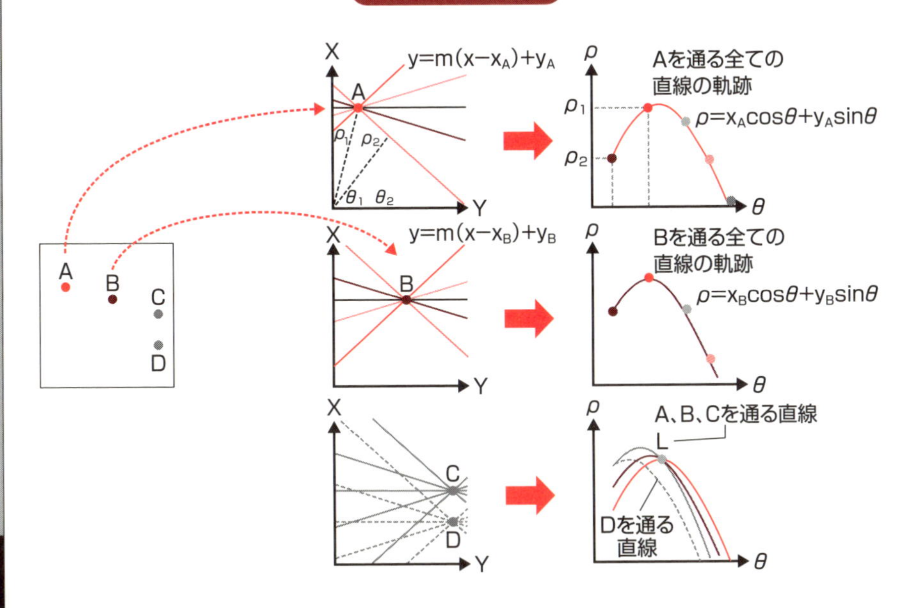

図2　ハフ変換の実例

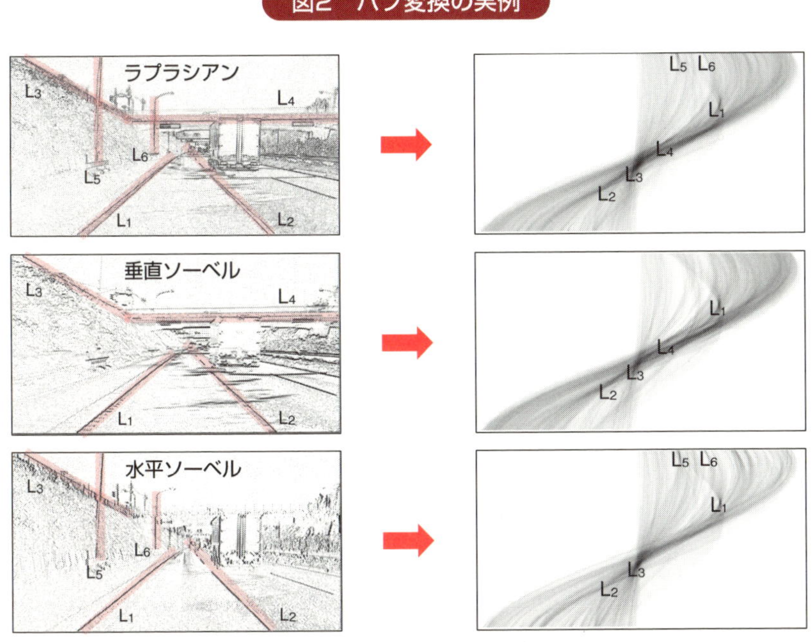

32 標識や信号を見つけるための拡張ハフ変換

円を検知するための画像認識技術

交通標識は危険箇所の注意喚起や交通規制など安全運転に必要な情報をドライバーに表示する目的で道路の脇などに設置されています（図1）。

正三角形の標識を見つけるにはハフ変換のパラメータ平面上から3本の直線に対応する候補点を見つけ、その内の1つが水平で、残り2つの傾きがそれぞれ60°と120°になっていることを確認すればよいわけです。同様に長方形の標識を見つけるにはパラメータ平面上から4本の直線に対応する候補点を見つけ、2つが水平、残りの2つが垂直になっていることを確認すれば長方形が見つかります。

一部の標識や信号機の赤、黄色、青信号などは丸い形をしています。これらを見つけるには画像から円を検出しなければならず、そのためにハフ変換を拡張する方法があります。

画像上の候補点をピックアップし、それぞれの候補点を中心にして同じ半径の円を描きます（図2）。これらの円の交点を求めてその座標が一致しているかどうかを比較します。円の半径を色々と変えたときに多くの円が交わる点（同図のO）を見つけることができれば、この点が見つけたい円の中心となり、見つけたい円の半径はそのときに描いた円の半径R_2に等しいです。円形状に並んでいる候補点（同図のＡＢＣＤＥ）を中心にして半径R_2の円を描くとOを通りますが、円形状にない候補点（同図のＦ）の円はOを通りません。

円以外の曲線を検出できるようにハフ変換を拡張し、カーブしている車線などの検出に応用することができます。

またハフ変換を一般化することで標識の矢印など任意の2次元形状の検出に使うことができます。このような一般化ハフ変換は標識の矢印や文字、数字などの検出に応用することができます。

要点BOX
- ●標識を見つけるには円の検出技術が必要
- ●ハフ変換を拡張することで円を見つけ出せる
- ●一般化ハフ変換で任意の2次元形状を検出可

図1　交通標識の例

図2　円を抽出するための拡張ハフ変換

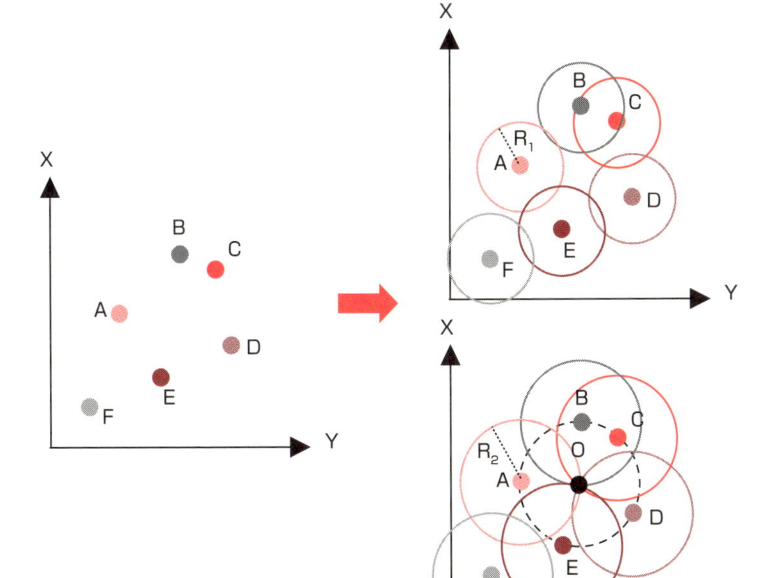

33 テンプレートマッチング

特定のパターンを見つけるための画像認識技術

画像の中から特定のパターンを見つける技術は、標識の中の矢印や文字、数字などの検出の他にステレオカメラから得られた視差のある複数の画像の対応点検出（34参照）など色々な用途で使われています。一般化ハフ変換でも任意の形状を検出できますが、基準となる形状を代表点からの距離や角度などで表現する下準備を必要とするなど必ずしも使いやすくありません。手軽な方法としてテンプレートマッチングと呼ばれる技術があります。

テンプレートマッチングとはテンプレートと呼ばれる検出したい形状の画像と同じ大きさの部分画像を入力画像から切り出して、この2つの画像を直接比較し、部分画像がどの程度テンプレートに似ているかを見積もることです。部分画像を切り出す入力画像中の場所を走査することでテンプレートを入力画像から見つけ出すことができます（図1）。

2つの画像間の類似度の見積もり方は色々あります（図2）。まずそれぞれの画像を画素数分だけの次元のベクトルと見做して、この2つのベクトルの正規化相互相関を計算し、相関値が高いほど両画像がよく似ていると判断する方法です（NCC）。この方法は両画像の平均的な明るさが違うと相関値が低くなってしまいます。これを補正するのに両画像それぞれの平均値を計算し、各画素値から平均を引いてから相関を計算して比較します（ZNCC）。

相関を計算するには2乗根や割り算が必要で、計算量が大きくなります。相関の代わりに両画像の対応する画素値の差の2乗和を計算し、この差の2乗和の値が小さいほど両画像がよく似ていると判断することで計算量を減らすことができます（SSD）。2乗和の代わりに絶対値の和を使えば、計算量をさらに減らすことができます（SAD）。

要点BOX
●任意形状検出で、一般化ハフ変換よりも手軽
●テンプレートと入力を比較、類似度を見積もる
●類似度の見積もりには色々な方法がある

図1　テンプレートマッチング

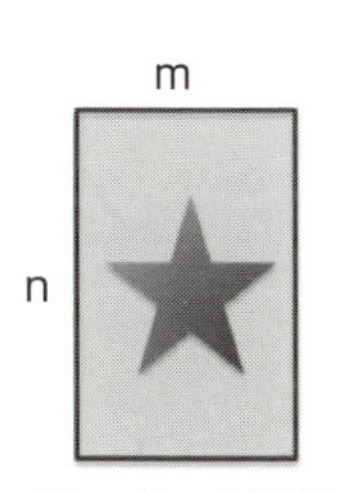

テンプレート画像
$f(i,j)$

部分画像がどの程度テンプレートに似ているか見積もる

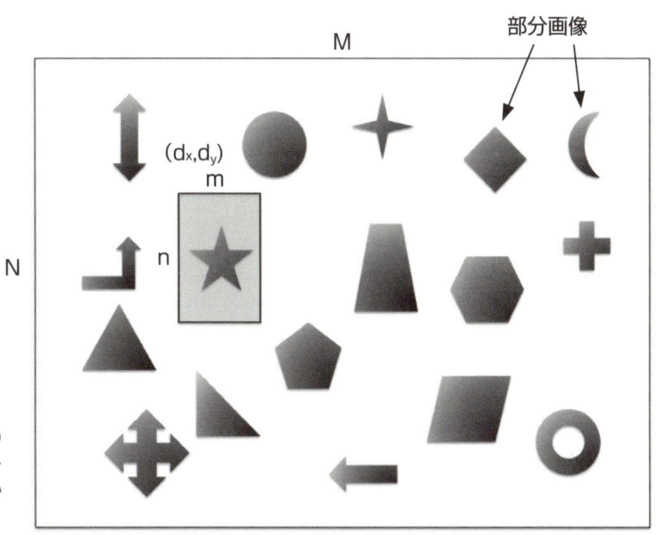

入力画像
$g(i,j)$

図2　テンプレートマッチングで使われている類似度

NCC Normalized Cross-Correlation	$S_{NCC}(d_x,d_y)=\dfrac{\sum\sum\left(g(d_x+i,d_y+j)f(i,j)\right)}{\sqrt{\sum\sum\left(g(d_x+i,d_y+j)\right)^2}\sqrt{\sum\sum\left(f(i,j)\right)^2}}$ が大きいほどよくマッチしている
ZNCC Zero-means NCC	$S_{NCC}(d_x,d_y)=\dfrac{\sum\sum\left(\left(g(d_x+i,d_y+j)-\bar{g}\right)\left(f(i,j)-\bar{f}\right)\right)}{\sqrt{\sum\sum\left(g(d_x+i,d_y+j)-\bar{g}\right)^2}\sqrt{\sum\sum\left(f(i,j)-\bar{f}\right)^2}}$ が大きいほどよくマッチしている
SSD Sum of Squared Differences	$S_{SSD}(d_x,d_y)=\sum\sum\left(g(d_x+i,d_y+j)-f(i,j)\right)^2$ が小さいほどよくマッチしている
SAD Sum of Absolute Differences	$S_{SAD}(d_x,d_y)=\sum\sum\left\|g(d_x+i,d_y+j)-f(i,j)\right\|$ が小さいほどよくマッチしている

34 ステレオカメラ

距離も検出できるカメラシステム

人間の目には両眼視機能と呼ばれる働きがあって左右それぞれの目の網膜に写った2つの映像を脳がうまく融合して1つの見やすい映像と同時に立体感や遠近感、距離に関する感覚を生み出しています。2台またはそれ以上のカメラを使って人間の目と同じ原理で距離を検出できるようにしたシステムはステレオカメラと呼ばれています。

光軸が平行して同じ向きを向いていて、同じ焦点距離の2台のカメラで撮像して得られる映像には視差があって、同じ被写体でもそれぞれの画像上の異なる場所に写ります。このときカメラに近い手前の被写体ほど奥の被写体よりも写っている位置が大きくずれます（図1）。

実際に距離を算出するにはまず一方の映像に写っている、例えば対向車などの被写体が他の映像のどこに写っているのかを検出するために特徴的なテンプレート画像を一方の画像から切り出し、テンプレートマッチングでもう一方の画像の中からテンプレートによく似ている部分を探し出して視差を求めます。視差と両カメラ間の距離（基線長）、カメラの焦点距離から三角測量の原理を使ってカメラから対象物までの距離を算出できます（図2）。

ステレオカメラによる距離計測の精度は、カメラの解像度と基線長、対象物までの距離の二乗に依存します。カメラの解像度が高いほど、基線長（両カメラ間の距離）が長いほど計測精度が上がります。また、遠方の物体までの距離を正確に計測するのが難しい。車載の場合には造形上などの理由から基線長をあまり長くできないことが多いです。

さらに、壁のような模様などの特徴点の少ない無地の物体など、対応点が見つかりにくい対象物に対しては、原理的にステレオカメラで距離を計測するのが難しくなります。

要点BOX
- ●人も両目の映像を融合して距離感を得ている
- ●三角測量の原理を使って距離を算出する
- ●距離計測の精度は基線長などによって制約

図1　ステレオカメラ

図2　ステレオカメラを使った距離計測の原理

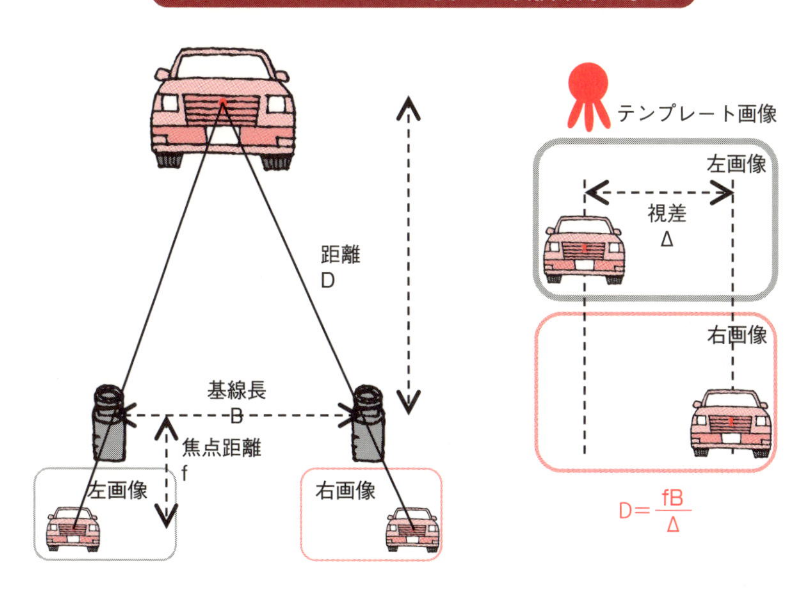

35 単眼カメラによる距離推定技術

2台カメラがなくても距離を検知できる

車でステレオカメラを使うには十分な基線長の取りにくさや、イメージセンサの感度やレンズの歪みなどを校正する難しさ、コストなど、車載や仕様上の難しさがいくつもあります。一方、人間は片目でもある程度の距離感が分かります。これと同じような単眼、つまり1台のカメラだけで距離を推定する技術が色々考案されているので、いくつかを紹介します。

1.大きさが分かっているものに着目した距離推定

前方や対向車両との距離を計測する場合、ナンバープレートに着目する方法があります。まずテンプレートマッチングなどの技術で前方や対向の車両を見つけます。見つかった車両の下部に注目して縦横比が約2の長方形を探し出し、見つかった長方形の中にいくつかの数字や文字が書かれているかどうかを確認します。適切な位置や数字や文字を確認できればこの長方形がナンバープレートと推測できます。ナンバープレートは大きさが決められているのでその画像の大きさから車間距離を推定できます（図1）。この方法を利用するには大きさがあらかじめ分かっていることが必要です。

2.遠近法による距離推定

レーンマーカーのような地面の平行線は消失点と呼ばれる一点に集まるように見えます。このとき近い物体ほどその地面に接しているところが消失点の下に離れて見えます。このことを利用して車両や歩行者などの路面上の物体までの距離を推定できます。

3.モーションステレオ技術

自分が動くと近くの物が大きく動いて見え、遠くの物はあまり動かないように見えます。この原理を利用することで1台のカメラが移動するときに撮像した画像に写っている被写体の画像上の動きから被写体までの距離を推定できます（図2）。

要点BOX
- 単眼で距離を推定する技術
- 大きさが決まっているものに着目した方法、遠近法、モーションステレオ法がある

図1　ナンバープレートに着目した車間距離の推定

図2　モーションステレオによる距離推定

1枚目の画像

2枚目の画像

2枚の画像に写る車の大きさの違いなどから
距離を計測する

36 LiDAR（ライダー）とは

自動運転への応用が期待されているセンサ

従来では物体までの距離をレーダーで測って、車線をカメラで検知していたので別々のセンサが必要でした。LiDARと呼ばれるセンサはこの両機能を1つだけで実現でき、開発中のレベル4の自動運転車に搭載され、物体と車線などの道路環境との位置関係も正確にわかるので自動運転に使いやすく、大きな注目を集めています。

LiDARとは、パルス状の赤外線などのレーザー光を走査しながら対象物に照射し、その散乱や反射光を観測することで対象物までの距離と対象物の反射率の両方を同時に計測できるセンサです。元々、飛行機などから森などを観測するリモートセンシングに使われていましたが、走査機構の小型軽量化が進み、車に応用できるようになりました。

車載用LiDARではレーザー光を縦横の2次元に走査するために2種類の走査機構を組み合わせています（図1）。例えば、ポリゴンミラーでビームを水平方向に走査し、揺動ミラーで垂直方向の走査を行います。ポリゴンミラーとは1分間に数万回転する多面鏡で、コピー機やレーザープリンタなどに使われています。一方、揺動とはゆれ動くことで、回転鏡と揺動ミラーを組み合わせることで2次元走査が可能になります。

LiDARから得られる生データは点群と呼ばれる多数の3次元座標の集まりで表現されています（図2）。点群データのままで処理や認識をすれば精度を高くできますが、その手法が従来の画像処理に比べるとまだ少なく、一旦特定の方向から見た2次元画像データに変換する方法も使われています。

LiDARはカメラより夜間に強いですが、解像度や色の識別性能が低いです。またLiDARはミリ波レーダーより解像度が高いですが、霧や雨に弱く天候の影響を受けやすいなどの弱点があり、必ずしも万能なセンサではありません。

要点BOX
- ●赤外線レーザー光を2次元状にスキャンする
- ●障害物と車線を同時に検知できる
- ●解像度、天候の影響の受け易さ共に中ぐらい

図1　LiDARのしくみ

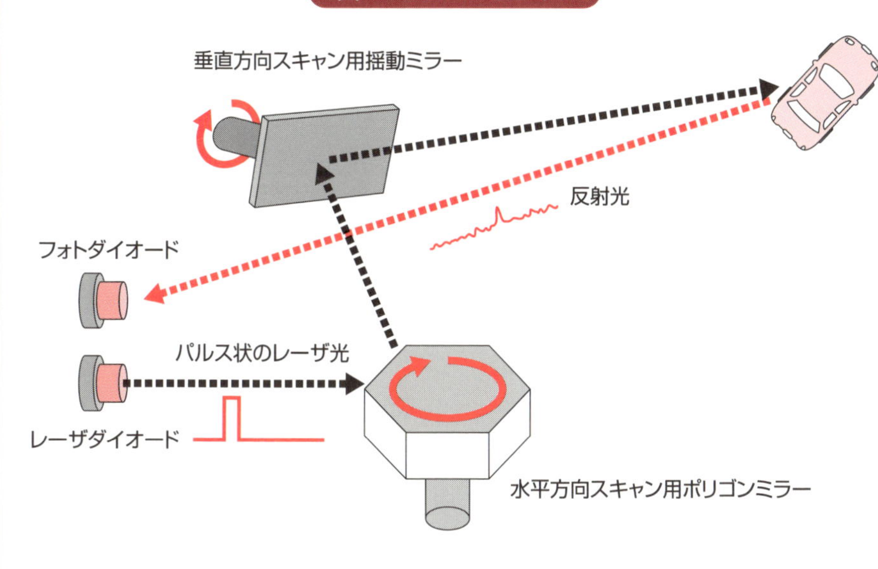

図2　LiDARから得られる点群データのイメージ

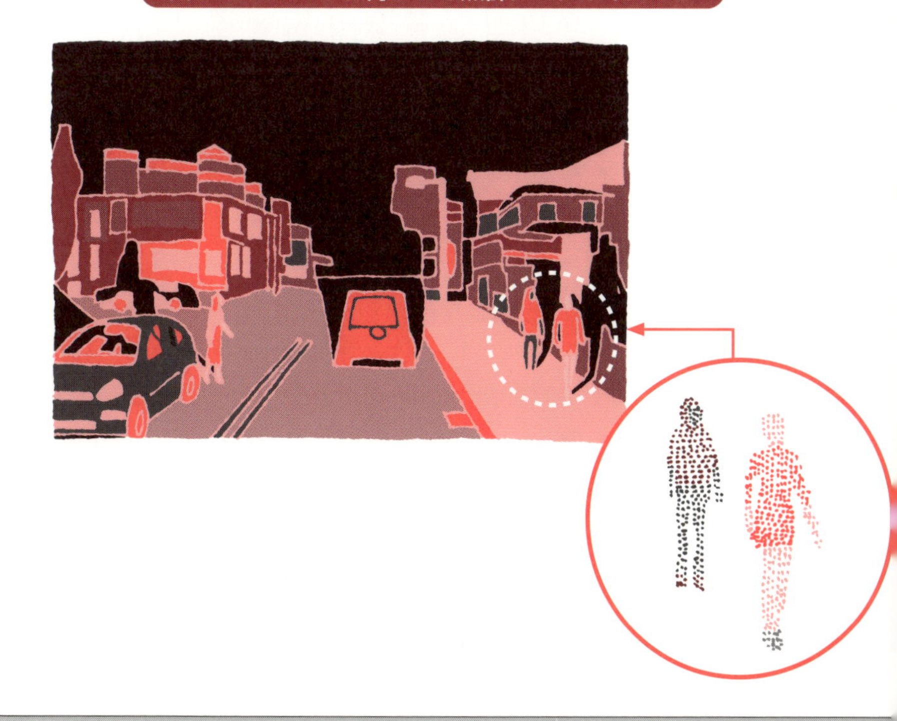

37 各種次世代LiDAR

従来のLiDARは周囲の全方位を観測するためにモジュールを360度回転させる走査機構が使われていました（図1）。機械式LiDARは小型軽量化が難しく、振動に弱い、レーダーやカメラより大変高価などの問題がありました。回転機構の代わりにMEMS（44参照）やフェーズドアレイ（27参照）などの技術を応用して小型化したLiDARモジュールを複数個使って360度全方位を観測するソリッドステート方式が開発され、主流になりつつあります（図2）。また走査を不要にするためにレーザー光を一度に大きな角度範囲で照射するフラッシュLiDARや、カメラとAIでLiDARと同等の機能を実現する技術なども開発されつつあります。

さらに従来のLiDARでは短いパルス状のレーザー光の反射時間を直接測って距離を算出する直接ToF*法（図3）が使われていますが、パルス光の反射時間を高精度に測定する回路は複雑でコストが高いです。そこで正弦波状に振幅変調したレーザー光を使い、その反射波の位相遅れから距離を算出する間接ToF法が開発されています（図4）。間接ToFは直接ToFよりコストが低いですが、原理上1波長までの距離しか測定できず、長距離の測距精度が悪いなどの欠点があります。ToFのほかにミリ波レーダーにも使われており、ドップラー効果によって相対速度を高精度に測定できるFM-CW法も開発されています（26参照）。

LiDAR用の光源には波長905nmのSi半導体レーザーと、比較的目に優しい波長1550nmの化合物半導体レーザーがよく使われています。化合物半導体のほうがアイセーフ*の観点から出力を上げやすく、太陽光の影響を受け難いメリットがあります。一方、Siのほうはコストや消費電力が低く、光導波路や受光素子と電子回路を一緒に集積できるメリットがあります。

要点BOX
- ●回転による機械式走査は小型軽量化が難しい
- ●直接ToFの他に間接ToFやFM-CW方式がある
- ●Siと化合物半導体レーザーが使われている

図1　機械走査式 LiDAR

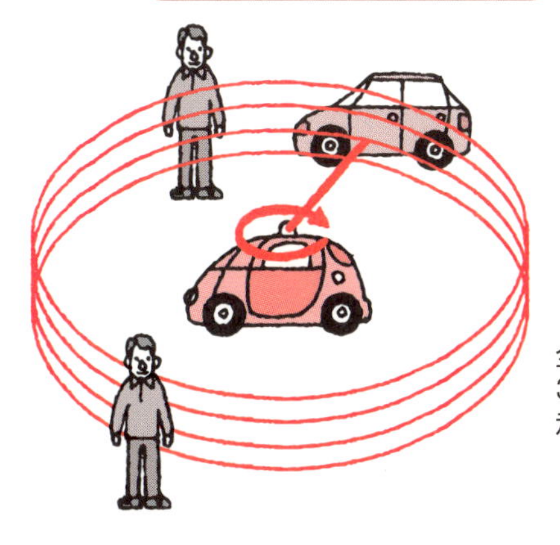

全方位を観測するため、
360度回転させる
走査機構が使われていた

図2　ソリッドステート式 LiDAR

小型化した
LiDARモジュールを
複数個使って、
360度全方位を
観測する

図3　直接 ToF 方式

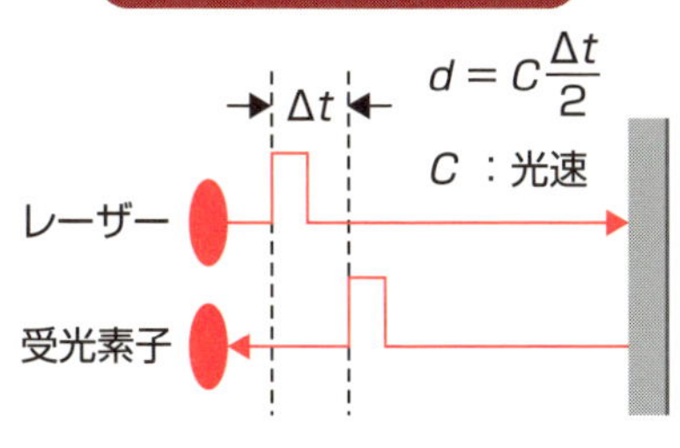

図4　間接 ToF 方式

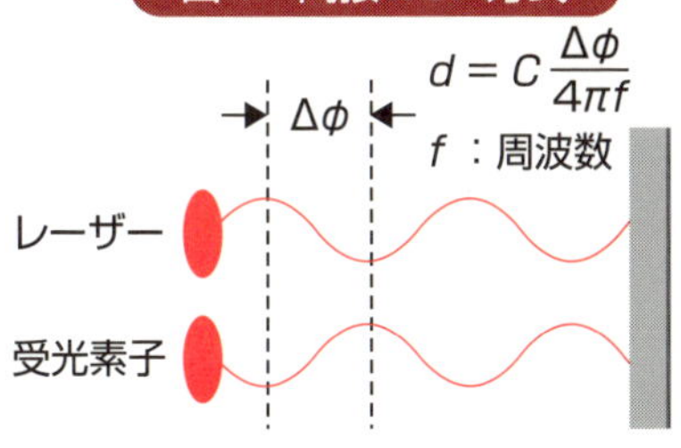

用語解説

ToF：Time Of Flight、飛行時間
アイセーフ：IEC（国際電気標準会議）や ANSI（米国国家規格協会）が定めた目に障害を与えないレーザー光強度の安全基準

38 センサフュージョン

複数種類のセンサの混用

レーダーやカメラ、LiDARのいずれも得意不得意があって万能なセンサはまだ開発されていません。そこで複数のセンサを混用するセンサフュージョンが考案されています。人間も視覚や聴覚など複数の感覚を統合して信頼性の高い情報や立体感などのような新たな感覚を得ています。

ステレオカメラも一種のセンサフュージョンとして数えられますが、他にレーダーとカメラからなるセンサフュージョンなどがあります（図1）。ミリ波レーダーは昼夜や霧雨雪などに関わらず前方車両を確実に検知できますが、分解能が低く検出できる範囲も狭いという欠点があります。一方、カメラは車線を検出でき、解像度が高く、画角も比較的広いですが、悪天候に弱いです。そこでレーダーとカメラの情報を統合することで前方車両の位置や距離を高い精度と信頼性で検出できます。

センサフュージョンには異種または同種の複数のセンサからのデータを並列または相補的に組み合わせたり（複合）、1つにまとめたり（統合）、処理して新たな知覚としたり（融合）、データ間の関係を調べたり（連合）する方法があります。異種のセンサからのデータを統合または融合するときに各センサの分解能や精度などに違いがある場合では単純に融合しないでカルマンフィルタなどの最適化フィルタを使ってより正確な情報を推定することで最終出力の精度や信頼性を上げることができます（図1）。

複数センサから出力される生データを統合する以外に、パターン認識やニューラルネットワークなどを使って各センサ出力の特徴量を抽出し、得られた特徴量を混ぜ合わせて出力したり（図2）、各センサ出力から特徴量を抽出し、識別してからベイジアン推論などを使って歩行者や対向車、自転車などのオブジェクトで統合して出力したり（図3）するようなセンサフュージョンも研究開発されています。

要点BOX
- ●複数センサを組み合わせて高い信頼性を得る
- ●最適化フィルタを使ってより正確な情報を推定
- ●生データの他に特徴、オブジェクトでも統合

図1　センサフュージョン処理の流れの一例

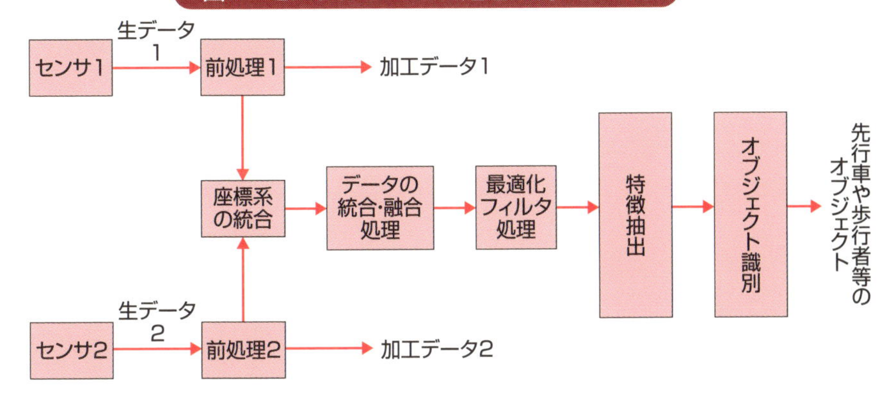

図2　特徴レベルのセンサフュージョンの例

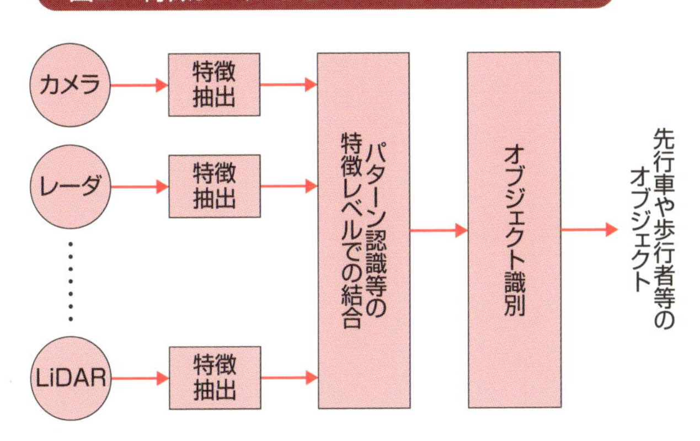

図3　オブジェクトレベルのセンサフュージョンの例

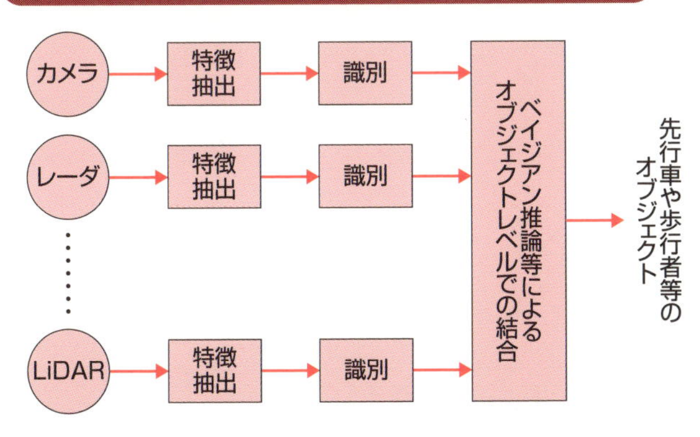

39 歩行者認識のための画像処理技術

画像から歩行者を見つける難しさとその方法

ADASや自動運転にとって歩行者は確実に検知しなければならない大事な対象物です。人物検出技術は監視カメラなどにも利用できる大変応用範囲の広い技術です。しかし歩行者は撮影の方向や体格差、服装、髪型、姿勢などによって見え方が大きく変わります（図1）。さらに一部が隠れていたり背景が複雑だったりすることで画像から歩行者を確実に検出するのは非常に困難です。画像から人物を検出する方法の例を紹介します。

1.ルールや知識にもとづく方法

パーツごとで見ると人は円形の頭と台形の胴体、胴体から伸びる2本の手と2本の足に分けることができて、それぞれの位置関係や大きさの比率はおおまかに決まっています。入力画像から各パーツを見つけ、その関係性を既知の知識と照らし合わせることで人物を検出することができます。

2.統計的な特徴にもとづく方法

あらかじめ統計処理によって多数の人物画像から平均的なシルエットを求め、入力画像を平均的なシルエットと比較することで人物を検出できます。テンプレートマッチング（33参照）を使うこともできますが、HOG（輝度勾配のヒストグラム）など人の形をよく表現している特徴量を使って比較する方法がよく使われています（図2）。輝度勾配とは画像中の輝度値の縦、横方向の差分からなるベクトルで、微分フィルタなどを使って求めることができます。ヒストグラムとはデータをいくつかの区間に分けてそれぞれの区間に入るデータの数を棒グラフで表した図です。画像中の局所領域に含まれる輝度勾配の分布を捉えるためにHOGは輝度勾配の傾きを、例えば20°ごとに分けてヒストグラムを作成します。輝度勾配の絶対値は明るさなどの撮像環境によって大きく変化しますが、その傾きは比較的撮像環境の影響を受けにくい特徴があります。

要点BOX
- ●歩行者は姿勢などで見え方が大きく変わる
- ●ルールや知識を使って特定する方法と、統計的な特徴を使う方法がある

図1　見え方が異なる歩行者の例

図2　HOG特徴量による人物検出の例

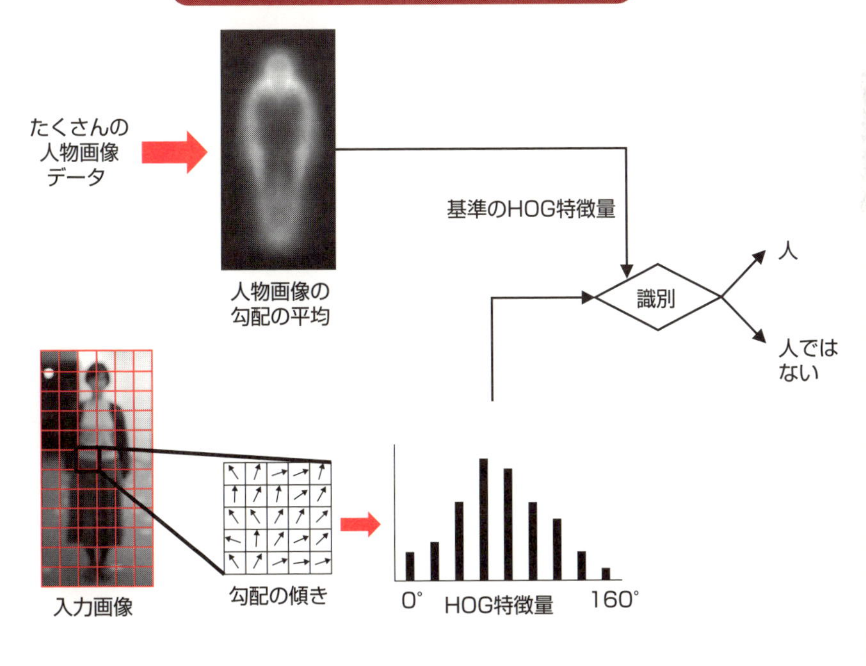

40 畳み込み型深層学習による画像認識

画像認識に適した深層学習形式の人工知能

ADASや自動運転のためには歩行者だけでなく前方車両や標識など非常に多くの対象物を認識しなければなりません。その全てに対応するルールや知識を書き出したり統計的な手法に使う適切な特徴量と識別方法を決めたりするのが困難です。そこで機械が自らの経験を通してルールを習得できる方法が検討されています。ここでは画像認識によく使われる畳み込み型深層学習を紹介します。

人間の視覚は網膜からの画像をまずエッジなどの簡単な特徴量に分解し、次に円などのより高度な特徴量を順に抽出していき、ついには物体を認識すると考えられています。この仕組みを真似たニューラルネットワーク（20参照）は畳み込み型深層学習と呼ばれています（図1）。

畳み込み型深層学習ではまず入力画像に縦エッジや横エッジ、左や右斜めエッジ、×印などいくつか簡単な空間フィルタリング処理をします（29参照）。この時に畳み込み演算を実行するのでここは畳み込み層と呼ばれます。畳み込み層の結果をプーリングと呼ばれる処理をします。プーリングとは画像を例えば2×2の大きさの領域に分けてそれぞれの領域の最大値や平均値をその領域の代表にすることで画像の解像度を下げる操作です。画像中に含まれる多少の位置ずれや姿勢のブレなどの雑音はプーリング処理によって抑制されます。

以上の畳み込みとプーリングを複数回行った結果を全結合層と言う領域で識別処理を行います。全結合層は複数のニューラル層から成り立っていて、各層のニューロンは次の層の全ニューロンとシナプスで結合しています。全結合層の出力によって入力画像を歩行者や前方車両などに分類することができます。

2011年にドイツ道路標識認識コンテストが行われ、畳み込み型深層学習による認識率は99・46%と、人間の認識率（98・84%）を超えています。

要点BOX

- 機械が自ら学習して画像を認識、分別する技術
- 多数の畳み込み層、プーリング層、ニューラルネットワークからなる全結合層で構成されている

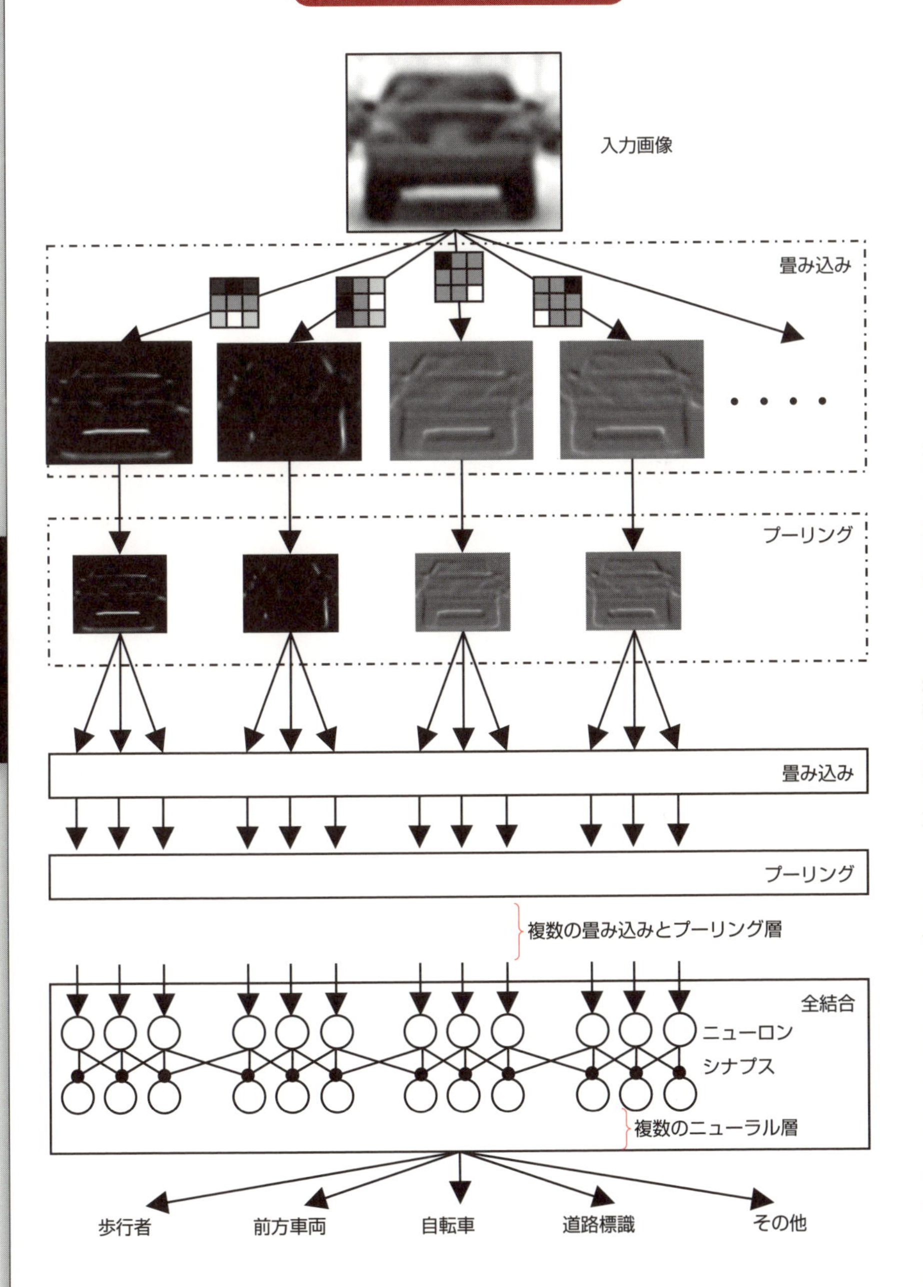
図1　畳み込み型深層学習
入力画像
畳み込み
プーリング
畳み込み
プーリング
複数の畳み込みとプーリング層
全結合
ニューロン
シナプス
複数のニューラル層
歩行者
前方車両
自転車
道路標識
その他

Column

ライトフィールドカメラ

最近では写真を撮った後にアプリを使って好きなところにピントを合わせ直すことができるカメラが実用化され、一部のスマホにそれと似た機能が搭載されています。また従来では結像するために必要だったレンズを不要にできる技術が提案されています。このレンズレス化技術を使えば高感度ながらフィルム並みに薄いカメラができ、例えば壁一面などどこでもカメラを実装することができるようになります。

撮影対象の全ての点から出た光はイメージセンサの各画素に異なる角度で届きます。普通のイメージセンサの画素には光の方角を識別する能力がないためにそれらが混ざってしまい、ピンボケが起きます（図）。画素を複数のサブ画素に分けて、各サブ画素に何かの手段で特定の方向からの光しか受光しないようにすることができれば各方角の光を分離することができます。例えば光が上空か、ほぼ地面に平行しているのか、それとも下の方向から届いているのかが分かれば異なる画素のそれぞれの光線の交点を求めることでおおまかな対象物の位置が分かります。

サブ画素が特定の方向の光しか受け取らないようにする手段としてはマイクロレンズと呼ばれるイメージセンサの真上直近に実装され、焦点が短く小型のレンズの配列を使う方法や複数の回折格子を組み合わせて使う方法などが提案されています。

この技術はサブ画素さえ十分に小さく作ることができればステレオカメラやレーダーに代わって距離を測る新しい手段としても利用できる可能性があります。

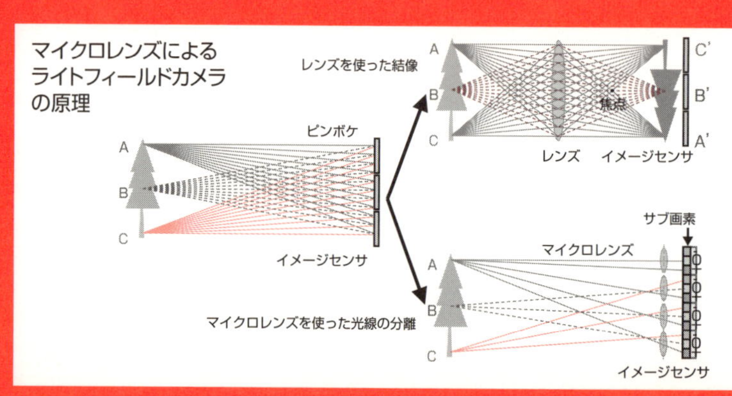

航法に関する認知・判断技術

41 全地球航法衛星システム（GNSS）

人工衛星による現在地の特定

車の運転には走行環境の認識以外に現在地から目的地までの道を定める必要があって、これは航法と呼ばれます。従来知らないところに行くにはドライバーが地図を使って道順を決めてきましたが、現在では車載やスマホなどのナビ機能を使って地図を探索することで適切な道を見つけられます。この章で航法に関する認識技術を紹介します。

地図上の現在地を認識して特定するためにナビはGPS*を使います。GPSとは米国国防総省が管理している地球上空2万1000㎞の軌道を飛ぶ30個程度の衛星を使って地球上のどの地点の現在地でもその経度と緯度、高度を特定できる測位システムのことで、同じ機能のシステムは他にロシアが運用しているGLONASSや欧州連合のGalileo、中国のBeiDou（Compass）があります。これらを総称してGNSS*と言います。

GNSS衛星は搭載されている原子時計で測った正確な時刻と衛星の軌道に関する情報を電波に乗せ、地上に向けて放送し、受信機側は自分の時計で測った受信時刻と放送された送信時刻の差から衛星までの距離を算出します。3ないし4個の異なる衛星までの距離から三角測量と同じ原理で受信機の現在地を特定できます（図1）。

GNSSによる距離の測定精度は数m程度とされていて、時計や軌道情報などの衛星側の情報に含まれている誤差、地表50㎞から500㎞までの高さにある電離層をGNSS電波が伝搬する時に発生する遅延による誤差、地表から10㎞程度までの高さにある対流層をGNSS電波が伝搬する時に発生する遅延による誤差、山や建物などによって反射されたGNSS電波の受信によって発生するマルチパスによる誤差、受信機側の時計の誤差、受信側の電磁雑音による誤差の影響を受けます（図2）。

要点BOX

- ●3個以上の人工衛星による三角測量で測位
- ●精度は数m程度とされている
- ●電離層や建物による反射の影響を受ける

図1　全地球航法衛星システム（GNSS）

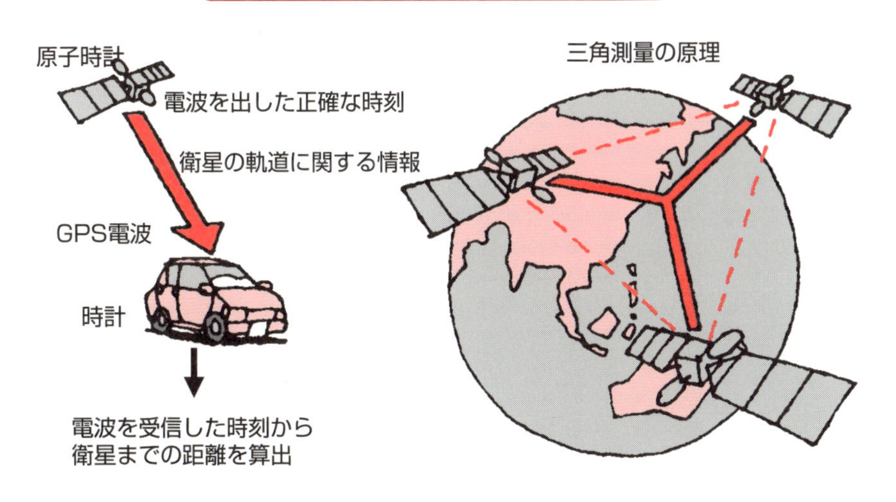

図2　距離の測定精度に影響を与える各種誤差

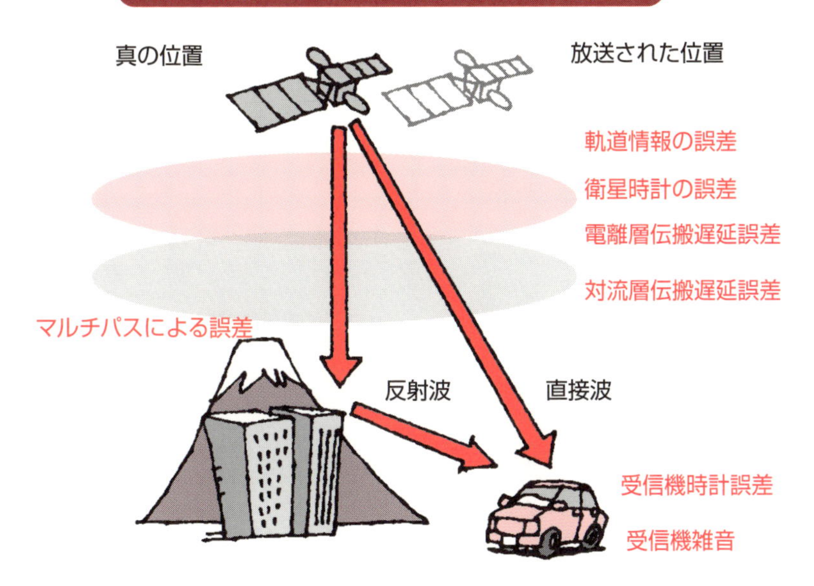

用語解説

GPS：グローバルポジショニングシステム（全地球測位システム）
GNSS：グローバルナビゲーションサテライトシステム（全地球航法衛星システム）

42 準天頂衛星システム（QZSS）と高精度測位

応用範囲が広がっている高精度衛星航法による測位

水平線に近い衛星の電波は建物や山などで遮られ、都市部や山岳部では安定して測位に使うことができません。この問題を解決するために準天頂衛星システム（QZSS）みちびきが2018年に4機体制で運用を開始、自動運転への応用が期待されています。みちびきは日本で利用可能な地域航法衛星システム（RNSS）で、高度3万2000km～4万km程度の準天頂軌道という特殊な軌道に打ち上げられた数基の衛星で構成されています。衛星放送などに使われている静止衛星軌道は赤道上空約3万6000kmに位置していますが、準天頂軌道は斜めに傾いていて日本の真上を通るように設計されています。この軌道上の衛星は約8時間40分をかけて日本の上空を通過し、日本各地から空のほぼ真上に見えます（図1）。これを4機使うことで24時間いつどこからでも利用可能になります。その結果、安定して測位でき、さらに電離層や対流層を準天頂衛星からの信号が伝搬するときに発生する遅延誤差が少なく、マルチパスも起きにくく高精度な測位が可能になります（41図2参照）。

一般にGPSの精度は数m程度とされていますが、これを数cm以下にまで高めるのに動的干渉測位（RTK）という方法が使われています。RTKでは時間ではなく衛星信号の搬送波の位相を観測することで距離を高精度に算出しています（図2）。さらにRTKでは衛星信号の各種遅延の影響を打ち消すために相対測位を行っています（図3）。相対測位では基準局と呼ばれるあらかじめ正確な位置が分かっている受信機で衛星信号を受信し、電離層や対流層での伝搬遅延を補正するための情報を正確に算出します。この補正情報を特定小電力無線モデムなどの手段で移動局に伝えることで基準局と共通している伝搬遅延による誤差を大幅に低減しています。

要点BOX
- 準天頂衛星システムみちびきで安定した測位ができる
- 搬送波の位相を観測することで高精度化

図1　準天頂衛星みちびき

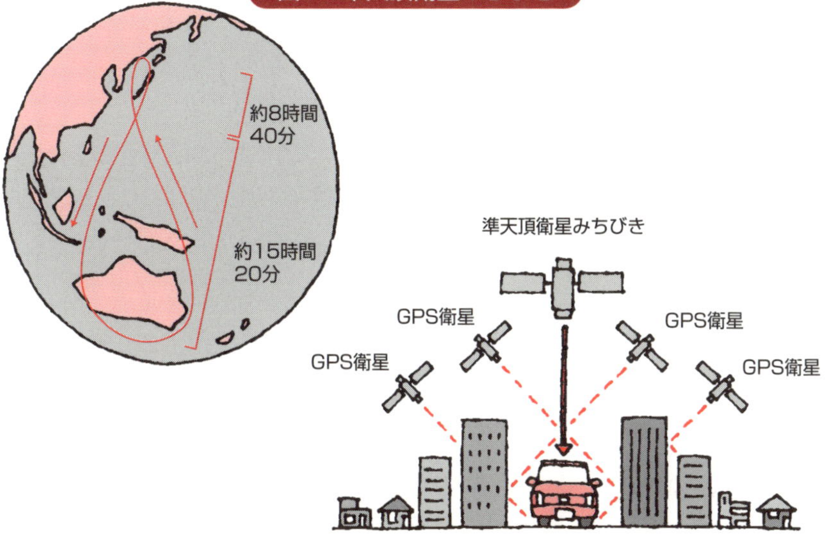

約8時間40分

約15時間20分

準天頂衛星みちびき

GPS衛星

GPS衛星

GPS衛星

GPS衛星

図2　搬送波測位

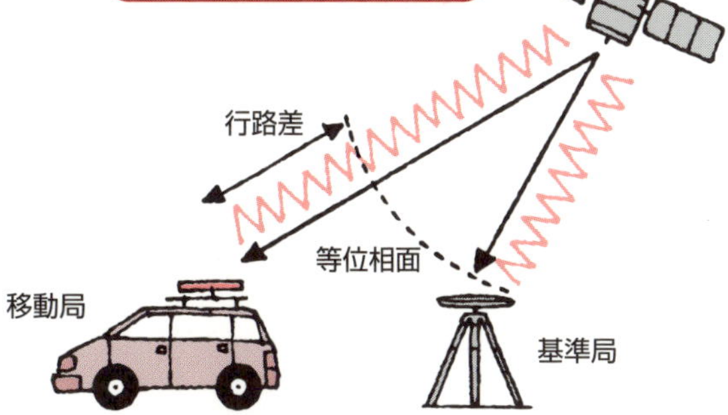

行路差

等位相面

移動局

基準局

図3　相対測位

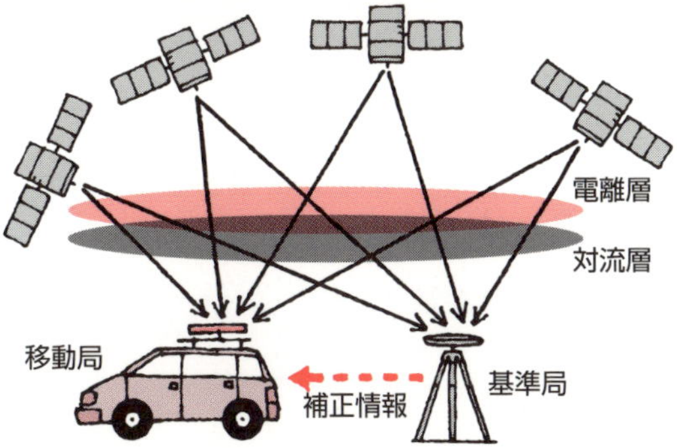

電離層

対流層

移動局

基準局

補正情報

43 オドメトリによる航法

走行距離による現在地の特定

高層ビル街など遮蔽物の多い場所や、地下やトンネルでの走行などでは信号が届かないため、衛星による測位ができなかったり不安定になったりします。GNSSのような衛星などの地図上に位置や方位が決まっているランドマークを使って測位を行う方法はスターレコーニングと呼ばれ、原理的には古くから船などで使われていた北極星などの星を目標にする航海方法と同じです。これに対して自分がこれまで走行してきた距離や方位などを使って単独で測位を行う方法はデッドレコニング（DR）または自律航法と呼ばれています。GNSSの信号が届かないトンネルの中でもDRで地図上の現在地を特定することができます。

DRの1つにオドメトリと呼ばれる方法があります。オドメトリとは車輪の直径と回転数の積算値を使って出発点からの移動距離を推定する方法で、そのためにエンジンやモータの出力軸などにレゾルバ（図1）やロータリーエンコーダー（図2）などを取り付けてその回転数を測定し、積算して移動距離を割り出します。

レゾルバは車軸などと一緒に回転するロータ（励磁コイル）と車体などに固定された2個のステータ（検出コイル）で構成されています。ロータを回転数より高い周波数の交流電圧で励磁すると、それぞれのステータコイルに交流の出力電圧が誘起されます。これらの出力電圧から回転角を読み取ることができます。レゾルバはゴミや油汚れなどに強く、耐環境性が高いので車によく使われています。

一方、ロータリーエンコーダーは単にエンコーダーとも呼ばれ、回転軸に取り付けられたスリットが開いている円盤と固定されたフォトインタラプタ*で構成されています。光学的な方法で回転を検出し、デジタル信号を出力するので使いやすく、ロボットやサーボ系などの分野でよく使われています。

要点BOX
- ●これまでの移動距離で測位する技術
- ●移動距離は車輪の回転数の積算で推定
- ●レゾルバやエンコーダーで回転数を測定

図1 レゾルバ

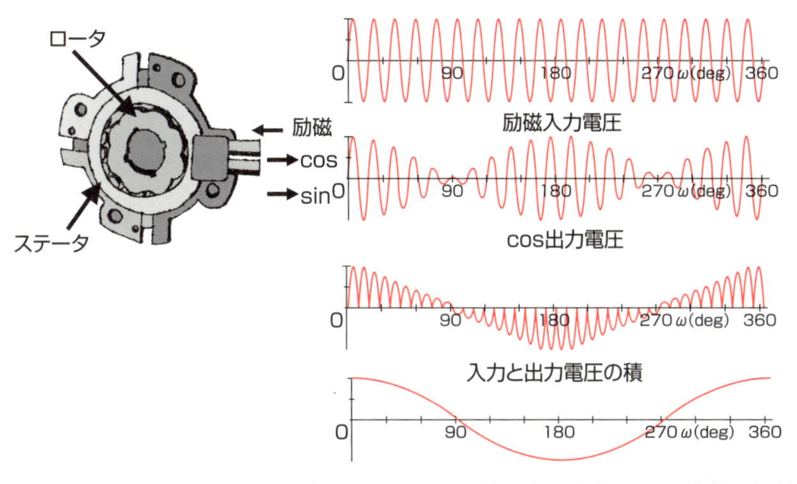

図2 ロータリーエンコーダー

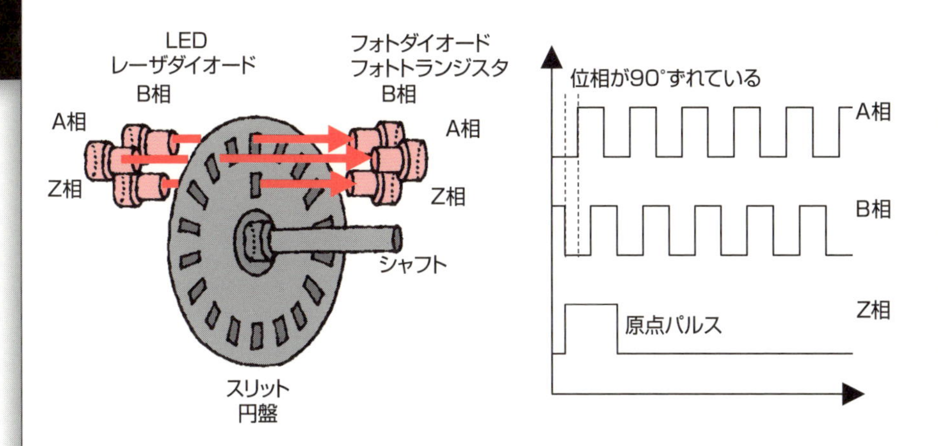

用語解説

フォトインタラプタ：対向するLEDなどの発光部とフォトダイオードなどの受光部を持ち、発光部からの光を物体が遮るのを受光部で検出することで物体の有無を判定するセンサ

44 加速度センサ

加速度を検知するためのセンサ

車輪が滑ったりするとオドメトリで移動距離を正確に測ることができません。オドメトリ以外のデッドレコニングとして慣性航法があります。慣性航法とは移動中の並進加速度と角速度から移動距離を推定する方法で、飛行機や船舶、ロケットなどの分野で使われています（図1）。並進加速度には加速度センサ、角速度にはジャイロセンサ（45参照）で測定することができます。

加速度センサは物体の加速度を計測します。車ではMEMS*型の加速度センサが使われています。このセンサは加速度によって動く可動部（重り）と重りを吊り上げておくバネ、重りが動いた時の移動を測る検出部で構成されています。重りの移動を検出する方法をいくつか紹介します。

1.静電容量型

センサの可動部と固定部の間の静電容量の変化から加速度を算出。

2.ピエゾ抵抗型

センサの可動部と固定部をつなぐバネの部分に発生する歪みをピエゾ抵抗素子で検出し、歪から加速度を算出（図2）。

3.熱検知型

ヒーターでセンサ筐体内に熱気流を発生させ、加速度による対流の変化を熱抵抗素子で検知し、加速度を算出。可動部がないので衝撃に強い。

エアバック用などの加速度センサは主に1軸の加速度を測るように作られていますが、デッドレコニングに使うには縦横の2軸または高さ方向を含む3軸の加速度を測る必要があります。そのために1軸用の加速度センサを複数個配置する方法もありますが、1個の重りの3次元的な動きをいくつかの検出部で分離して測ることで3軸の加速度を算出できるセンサもあります（図3）。これは3軸加速度センサと呼ばれ、慣性航法によく使われます。

要点BOX

- ●慣性航法に使う並進加速度を測定するセンサ
- ●静電容量、ピエゾ抵抗、熱検知型がある
- ●1個のセンサで3軸測定できるものもある

図1　慣性航法に使う各種加速度や角速度

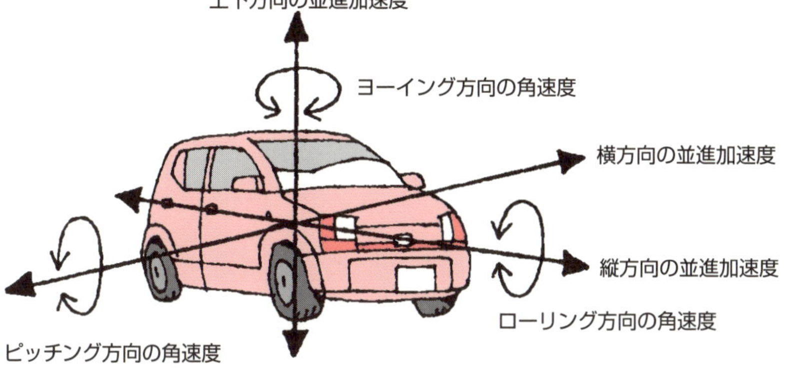

図2　ピエゾ抵抗型加速度センサ

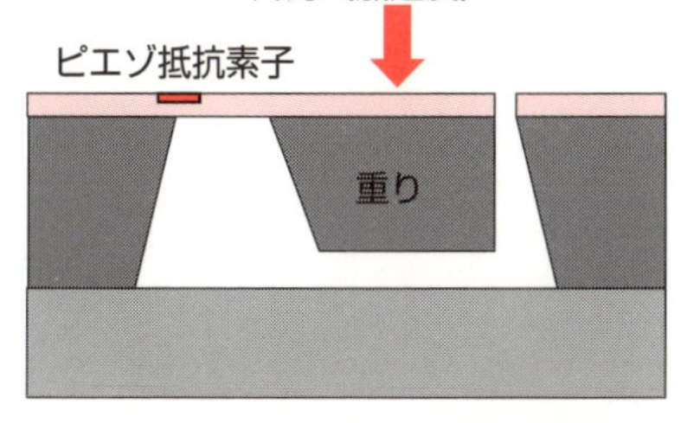

図3　3軸加速度センサ

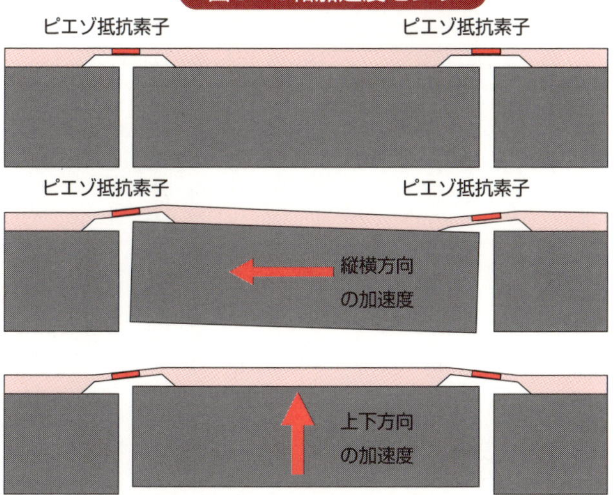

用語解説

MEMS：Micro Electro Mechanical Systems、マイクロ電気機械システム

45 ジャイロセンサ

方角を検知するためのセンサ

車がカーブを曲がったりする時、慣性航法のためには加速度センサのほかに回転運動を測るためのジャイロセンサが必要です。

ジャイロセンサは角速度センサとも呼ばれ、角速度を測ったり物体の向きの変化を検知したりするためのセンサで、ゲームのモーションセンシングなどにも使われています。例をいくつか紹介します。

1.ジャイロ効果を利用する回転型

名前の由来にもなっているジャイロ効果とは自転しているコマが自転軸を保とうとする現象で、これによってコマが自転している面を傾けると元の状態を維持するための力が発生します。この力を検出することで物体の角速度を検出できます（図1）。最も古くから使われてきました。

2.コリオリの力を利用する振動型

コリオリの力は転向力とも呼ばれ、回転している座標系で動くと動いている方向に対して垂直の方向に発生する見かけの力で、台風が北半球で反時計回りの渦を巻く原因になります（図2）。振動する物体が回転するとその回転軸に垂直な方向でコリオリの力が発生するのでこの力を検出することで物体の角速度を検出できます。振動型のMEMSジャイロセンサは回転型に比べて小型低コスト化できるという特徴があります（図3）。また加速度センサと同じようにヨーイングとローリング、ピッチング（44図1参照）の3軸の回転をまとめて測定できる振動型ジャイロセンサも作ることができます。そのために振動型ジャイロは慣性航法によく使われます。

3.サニャック効果を利用する光学型

サニャック効果とは環状の光路に回転を加えると回転方向に沿って光が1周する時間と逆方向に1周する時間に差が生じる現象で、干渉計を使って高精度で測定できます。光学型ジャイロは高性能な航空機やロケットに使われています。

要点BOX

- ●慣性航法に使う角速度を測定するセンサ
- ●回転型、振動型、サニャック型がある
- ●1個のセンサで3軸測定できるものもある

図1　回転型ジャイロセンサ

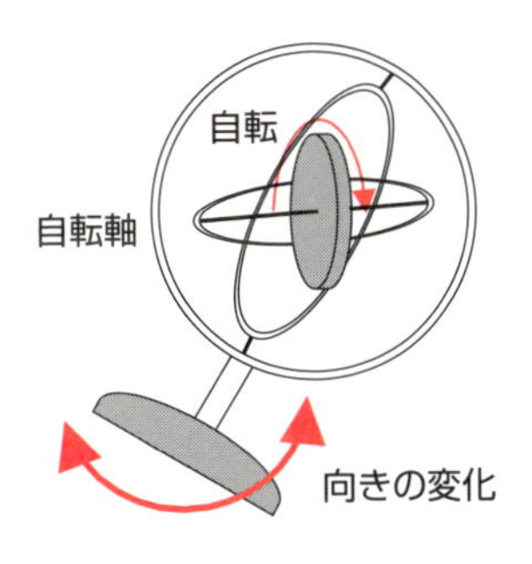

図2　コリオリの力

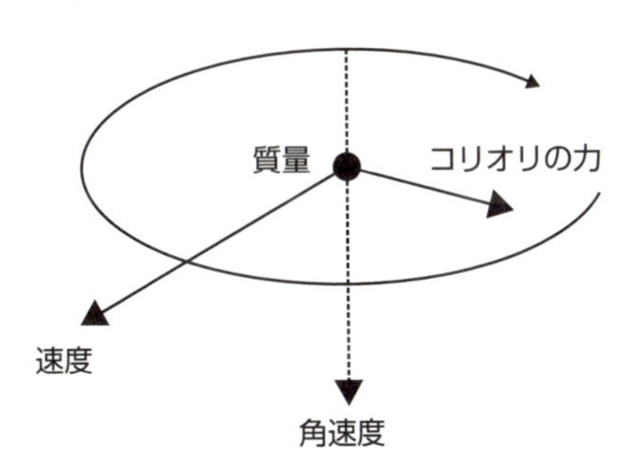

図3　振動型ジャイロセンサ

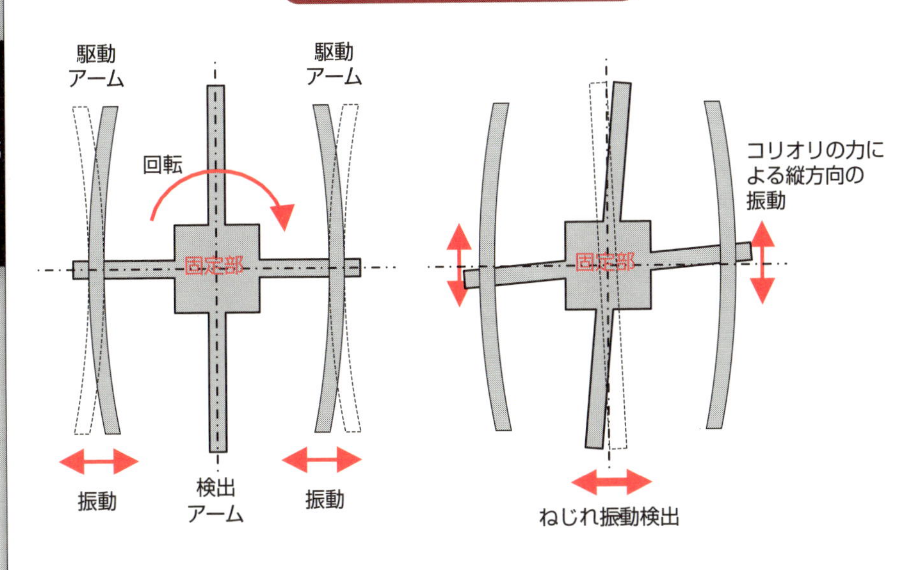

46 複合航法

複数種類の航法の混用

衛星航法、オドメトリ航法、慣性航法それぞれに得意不得意があって、万能な航法は今のところ開発されていません（図1）。

1.衛星航法

衛星からの電波を受け取って座標を計算するので誤差の蓄積がなく、精度は長期間にわたって一定。またデータの信頼性も高い。しかし、トンネルなど電波の届かない場所では使えない。また衛星からのデータを受け取るには数分間以上必要なために短期的な精度は非常に悪い。

2.オドメトリ航法

車輪の回転を測っているので車輪の大きさを正確に校正さえすれば短期的な精度は高い。しかし出発点から距離を積算する時に誤差が蓄積し、期間が長くなるほど測定精度が悪くなる。また、凸凹道を走行する時に車輪が滑ったり乗り上げたりしてデータの信頼性が突然低くなることがある。

3.慣性航法

車体の加速度と角速度を直接測っているのでデータの信頼性が高い。しかし加速度と角速度から距離を計算しているのでオドメトリ航法に比べると精度が少し落ちる。また距離の積算による誤差の蓄積があるので長期精度がよくない。

そこでレーダーとカメラのセンサフュージョン（38参照）と同じように複数種類の航法を混用することでお互いの弱点を補完し合う方法が使われています。例えばオドメトリ航法と慣性航法を組み合わせることでデッドレコニングの精度と信頼性を高めることができます。また例えば、短期精度のよい慣性航法のデータを基本として出力しますが、誤差の蓄積がない衛星航法からのデータを得られる時にはそのデータを使って慣性航法のデータに蓄積した誤差を補正することで短期精度と長期精度の両方を同時に高めることができます（図2）。

要点BOX
- ●複数の航法を組み合わせて高い精度を得る技術
- ●衛星、慣性航法に短期、長期精度の問題がある
- ●衛星信号で慣性センサを補正、高い精度を得る

図1 各種航法の比較

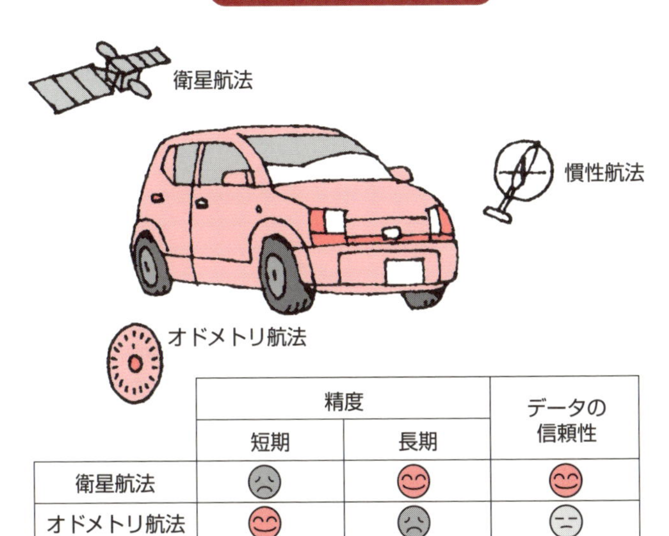

	精度		データの信頼性
	短期	長期	
衛星航法	☹	😊	😊
オドメトリ航法	😊	☹	😐
慣性航法	😐	☹	😊

図2 複合航法の一例

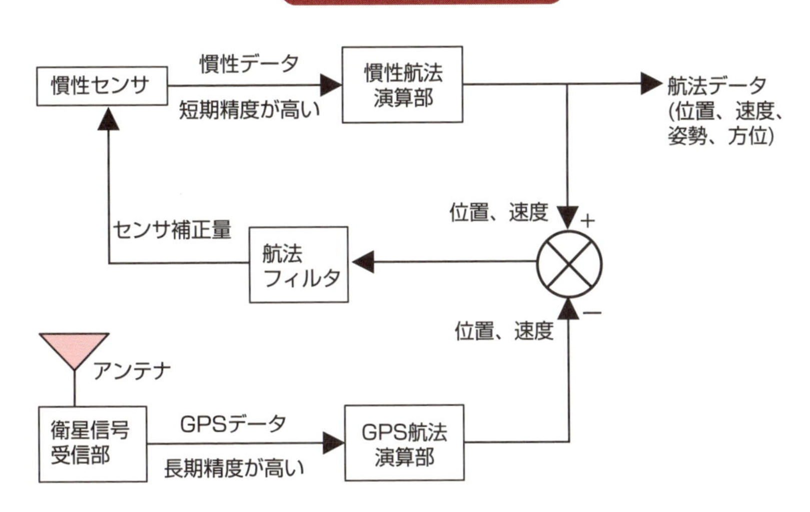

47 マップマッチング

地図情報による位置情報の補正

目的地に向かう道順を地図上から見つけ出すにはまず各種航法を使って現在地の座標を特定し、得られた座標データを使って現在地が地図上のどこに位置しているかを知る必要があります。正確な地図を持っていたとしても各種航法から得られる現在地の座標データには測定誤差が含まれているので必ずしも地図上の正確な位置に対応しているわけではありません。そのため測定データを使って地図上の現在地の位置を推定する必要があります。この推定はマップマッチングと呼ばれ、この技術の良し悪しがナビの良し悪しを決めていると言われます。

人間が使う地図は主に画像のデータになっていますが、ナビやADAS、自動運転などの機械のための地図は交差点などの特徴的な位置をあらわすノードと各ノードをつなぐ道をあらわすリンクで構成されたネットワークデータで表現されます。航法システムから得られた出発点から現在地までの座標データを地図ネットワーク上に重ねてみると測定誤差のためにデータは必ずしもこれまで通ってきた道に対応するリンク上に正確に重なるわけではありません。そこでこれまでの経路を知るには測定データをマップマッチングして経路推定を行う必要があります。代表的なアルゴリズムをいくつか紹介します。

1.ポイントツーポイントマッチング

測定で得られた座標データから最も近いノードを見つけ、これらのノードを通るリンクで経路を推定（図1）。計算量が少なく実装も簡単だが、ノードの数が少ないネットワークに対して誤マッチングしやすい。

2.ポイントツーカーブマッチング

測定で得られた座標データから最も近いリンクを見つけ、これらのリンクをつなぎ合わせて経路を推定（図2）。リンク間の距離が小さく密度の高いネットワークに対して誤マッチングしやすい。

要点BOX

- ●航法の座標データには誤差が含まれている
- ●地図と照らし合わせて位置情報を補正する
- ●最隣接のノードやリンクを使う方法がある

図1　ポイントツーポイントマッチング

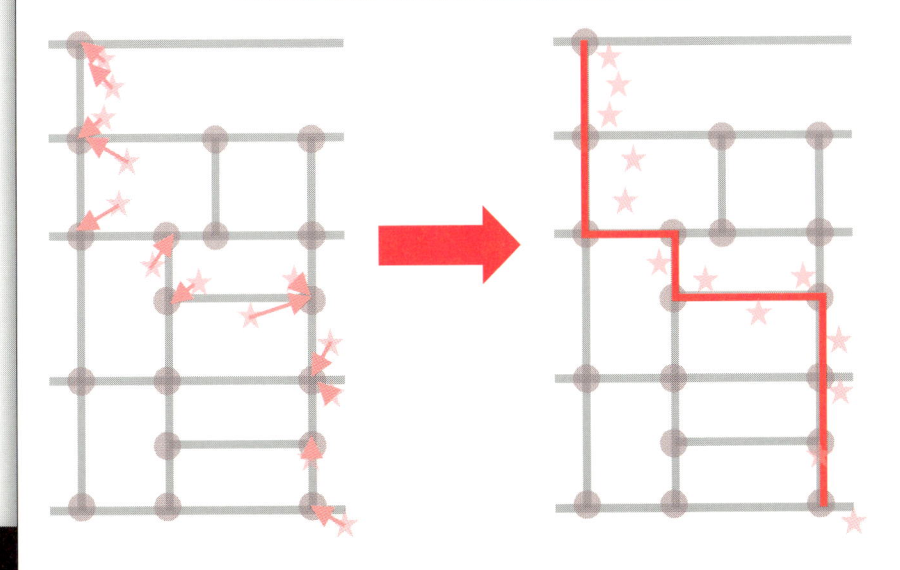

図2　ポイントツーカーブマッチング

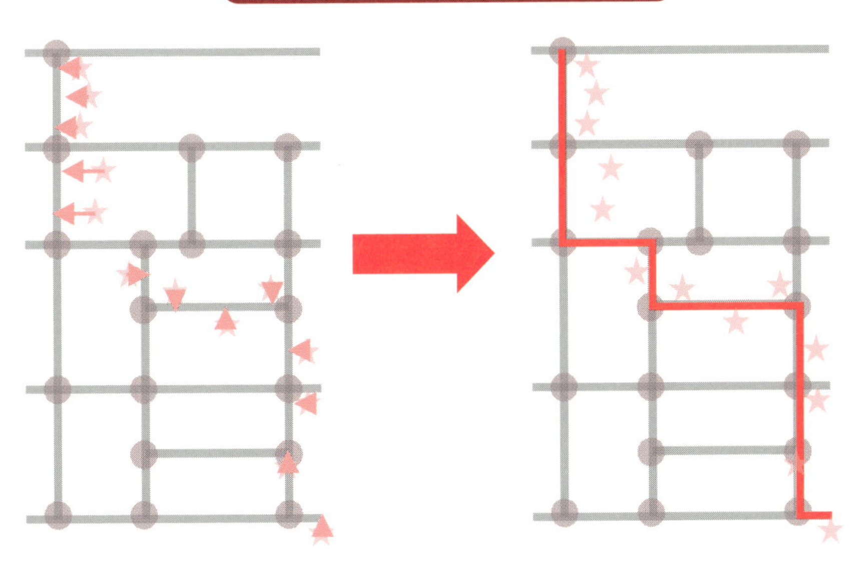

48 確率的な自己位置の推定

測定誤差も考慮して位置を確率とする考え

車などの移動体の現在位置を確率として考えることで単純なマップマッチング（47参照）よりもっと正確に自分の位置を知ることができます。これは確率的な自己位置の推定と呼ばれ、自律移動ロボットなどの分野で使われています。

例えば3つの交差点A、B、Cが並んでいるとします（図1）。AとBの距離を50m、BとCを70mとします。今自分がAにいるかどうかを確かめるにはまず50mだけ進んでみて周りが交差点かどうかを確認します。交差点だったら自分のいた場所がAであった可能性が高まります。さらに70mだけ進んで再度確認します。ここでも交差点なら自分が元々いた場所がAであったとほとんど確信できます。

具体的には条件付き確率を計算します。条件付き確率または事後確率とは、例えば今自分がBにいるという結果を知ったあとにそれより前にAにいたという原因の確率のことを言います。この条件付き確率を使うことで結果から原因を推定でき、情報を得ることで変化する確率を計算できます。計算にはベーズの定理と呼ばれる方法がよく使われます。

最初にA、B、C地点にいる確率が既知で、それぞれ0・5、0・3、0・2とします（図2）。50m前に進んだ後に交差点があったとします。しかし距離の測定に誤差が含まれているために50m前進したつもりでも実は70m進んでしまった確率が0・1だけあるとします。また測定した方位にも誤差が含まれ、後退を前進と誤認識する確率を0・1とします。すると前はBにいて、70m進んで今Cにいるということや、前はBにいて50m後退して今Aにいることが考えられます。これらを全て考慮すると今の目の前の交差点がBである確率が約0・88で、移動前にAにいた確率0・5よりも確率が高くなります。この計算を繰り返すことで確率がどんどん高くなって、推定の精度がよくなっていきます。

要点BOX

- 確率として現在の位置を考え、過去の情報も使うことで現在の位置を正確に推定できる
- 確率の計算にベーズの定理がよく使われる

図1　確率的な自己位置の推定

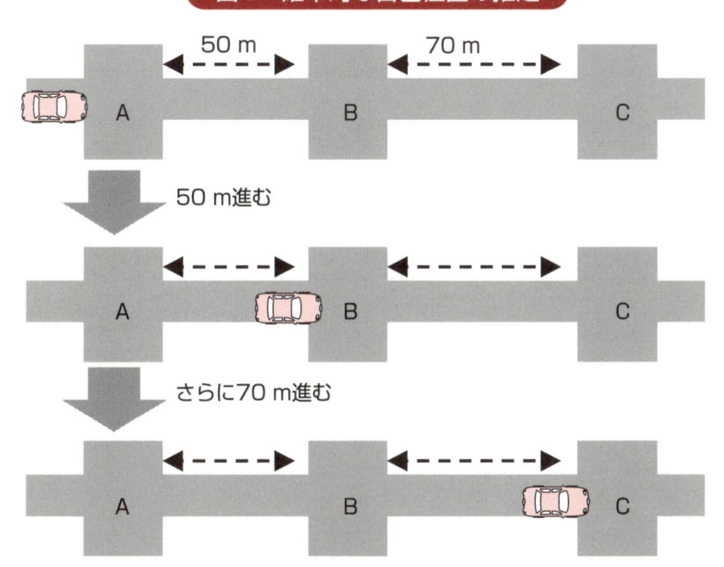

図2　事後確率が高くなっていく様子

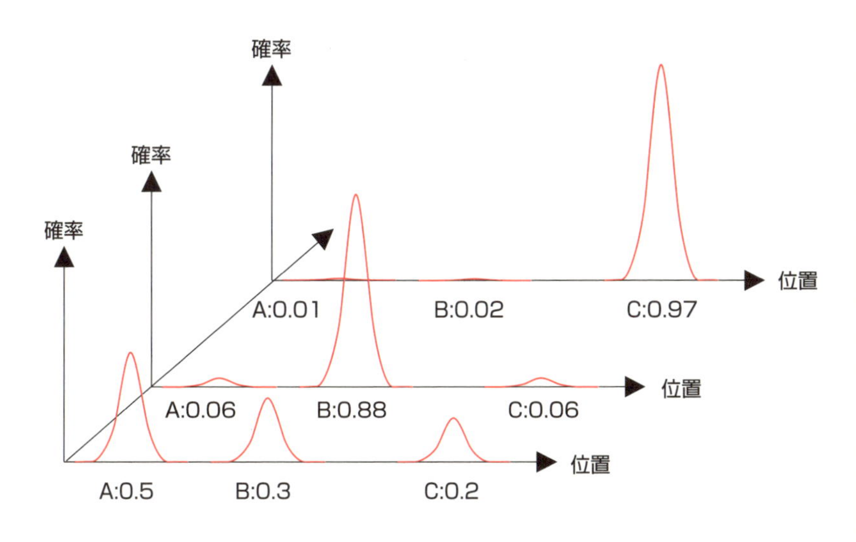

49 SLAMとは

位置情報と地図情報の同時取得

マップマッチングや確率的自己位置推定では正確な地図を基準にして自車の位置を推定します。しかし、例えば店が変わったり道が新しくできたりして町が日々変化し、その地図は必ずしも正確ではない可能性があります（図1）。そこで自律移動ロボットの分野で開発されたSLAM*と呼ばれる技術が使われています。SLAMとは各種センサから取得した情報をもとに自己位置推定と地図の更新を同時に行う技術の総称で、ロボット掃除機などにも採用されています。地図をモデルとした制御を行う際に正確なモデルがなくても制御結果を使ってモデルを補正する考え方と同じです（18参照）。

自動運転用のSLAMを行うにはまず衛星や慣性航法センサを使って自車の位置や速度、姿勢、方位などを推定します。次にLiDARやカメラなどのセンサを使って走行環境を認識し、建物など目標となる物体を見つけます。次に自分が動いた後に目標物がどのように観測されるかを計算し、実際にその通りに動いてみます。移動後に目標物を再度観測して計算結果と照らし合わせることで自分が認識している環境の地図がどの程度正確かを確認したり補正したりすることができます（図2）。さらに補正された地図の情報をもとに自車の位置、速度、姿勢、方位に関する情報も同時に確認したり補正します。例えば複数回のスキャンで取得したLiDARデータをマッチングさせるスキャンマッチングで地図データとともに自車の位置や方位情報を補正することができます（図3）。

LiDARを使わずカメラだけで走行環境を認識して行うSLAMはビジュアルSLAMと呼ばれ、盛んに研究開発されています。またSLAMの実現手段として従来はカルマンフィルタやパーティクルフィルタが使われましたが、大規模な地図構築に向けてグラフベースSLAMが注目されています。

要点BOX
- ●位置推定と地図補正を同時に行う技術
- ●ロボット掃除機などにも採用されている
- ●形状によるスキャンマッチングがよく使われる

図1　日々変化する町の様子

図2　SLAM

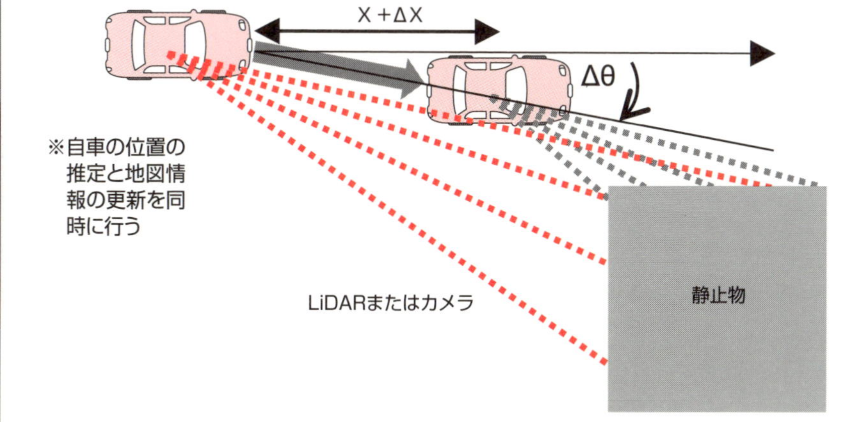

図3　スキャンマッチング

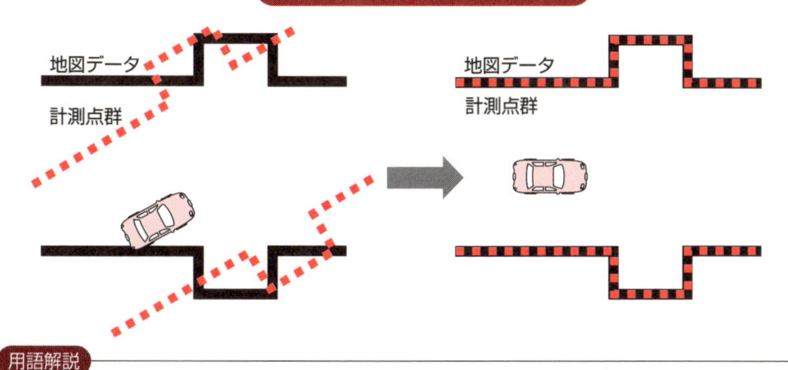

用語解説

SLAM：Simultaneous Localization and Mapping

50 高精度3次元地図とダイナミックマップ

いろいろに応用できる高精度・高機能地図データ

カーナビに使われている地図の精度は1m程度とされ、車線レベルでのルート案内ができなかったり高速道路と一般道の区別がつかなかったりします。一方、レベル3以上の自動運転車が逆走しないためにも車線を識別できる測位と地図が必要で、最近では数cm以下の高精度3次元地図情報が整備されつつあります。MMS*を走らせ、高精度測位とSLAMを使うことで比較的容易に低コストで高精度の地図を作成できます（図1）。

さらに道路や建物などの時間変化が少ない情報だけでなく、渋滞や周辺車両の進行状況など刻一刻と変化する情報も併せ持つダイナミックマップの整備も始まっています（図2）。ダイナミックマップでは変化時間が概ね1か月、1時間、1分、1秒それぞれで情報を静的、準静的、準動的、動的の4階層に分けています。静的情報とは路面や車線・建物の位置などの地図情報で、準静的情報には交通規制や道路工事予定・広域気象予報情報などがあります。準動的情報の例は事故や渋滞・交通規制情報・狭域気象情報などで、周辺車両・歩行者・信号情報といったリアルタイムで変化する情報は動的情報になります。各階層の情報が別々に管理されていますが、互いに紐づけされて連携できるようになっています。これによって例えば車両の現在地や速度と地図情報から次の信号の位置と到着時間、到着時の信号の状態を推定でき、走行エネルギーを節約しつつスムーズな交通流を実現できます。

ダイナミックマップ用のデータベースは多種な情報を動的に扱わなければならないので共通のデータモデルと操作体系（クエリ言語）を必要とします。そのために従来のリレーションモデルを拡張してストリーム処理を導入したりしています。またデータベースを分散化するなどの工夫でより多くの動的データを扱えるようにしたり信頼性を上げたりしています。

要点BOX
- ●数cm以下の高精度3次元地図情報が整備されつつある
- ●MMS、高精度測位、SLAMの応用で地図を作製
- ●共通のデータモデルとクエリ言語が必要

図1　MMS

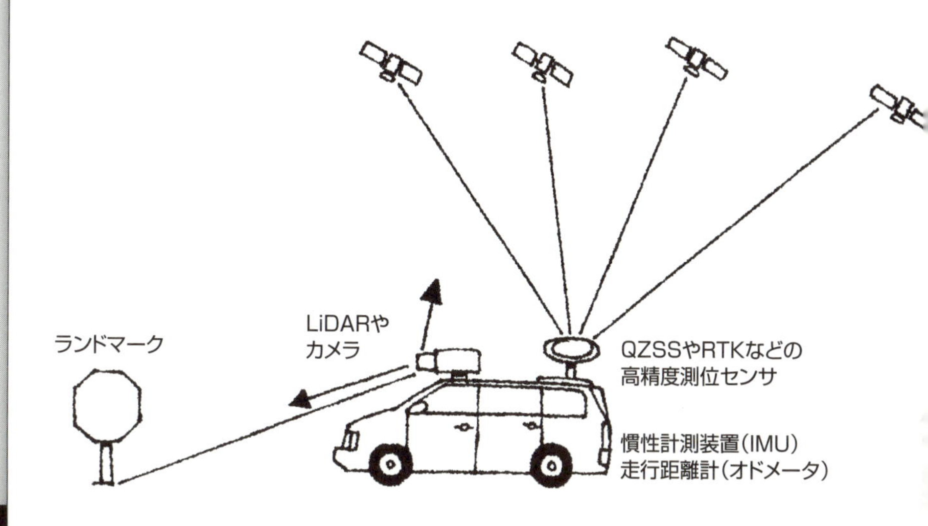

図2　ダイナミックマップの概念

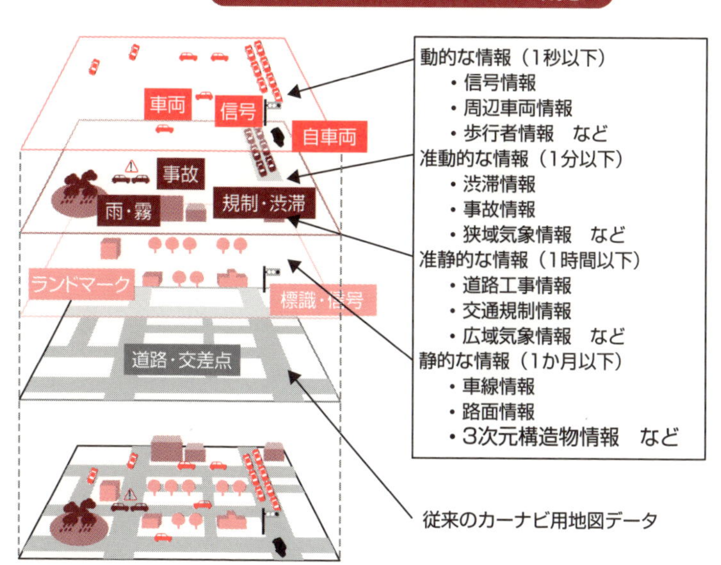

用語解説

MMS：Mobile Mapping System、移動計測車両、移動しながら計測するためにLiDARやGPS、IMUなどのセンサを積んだ車

51 ダイクストラ法による最短経路検索

代表的なコンピュータによる最短経路検索アルゴリズム

地図上の自車の位置を特定できたら目的地に向かうための経路を地図から検索できます。例えばA点からF点までのABFやADEF、ACEFなど多くの経路から距離が最短または費用が最も安いなどの経路を見つけたいとします（図1）。コンピュータによる効率のいい最短経路検索としてダイクストラ法があります。ダイクストラ法とはノードとリンクで構成されたグラフ上の2点間の最短距離を求めるためのアルゴリズムで、ナビの経路検索や電車の乗換検索、インターネットルーティングなどにも利用されています。

最短経路には次のような性質があります。例えばAからFまでの最短経路がADEFなら途中のAからEまでの最短経路はADEでなければなりません。この性質を利用して出発点に近いところから最短距離を確定し、その情報を使ってさらに離れたところまでの最短距離を確定できます（図2）。

(1)出発点のAは明らかに最短経路に含まれるのでまずAを確定し、Aにつながっているb、C、Dまでの距離を計算。

(2)次に距離が最も短いCと、Cまでの距離を確定し、BやDまでの距離を破棄。その上で再び確定したAとCにつながっているB、D、Eまでの距離を計算。

(3)この時の距離が最も短いのはDなのでDと、Dまでの距離を確定し、BとEまでの距離を破棄。その上で確定したACDにつながっているBとEまでの距離を再度計算。

Eまでの距離に注目してみると(2)では12だったのに対して(3)ではDが確定したため10に減っていることが分かります。

以上のように(2)と(3)を繰り返し、確定しているノードにつながっているノードまでの距離が最も短いものを順番に確定していけば目的地にたどり着いたときに最短経路ADEFが特定されます。

要点BOX
- 理詰めによる最短経路検索技術
- ルーティングなどにも広く応用されている
- 出発点に近い順から最短経路を確定していく

図1　最短経路検索を説明するための例

出発点
目的地
A B C D E F
9 7 11 6 4 5 8 4 6

図2　ダイクストラ法による最短経路検索

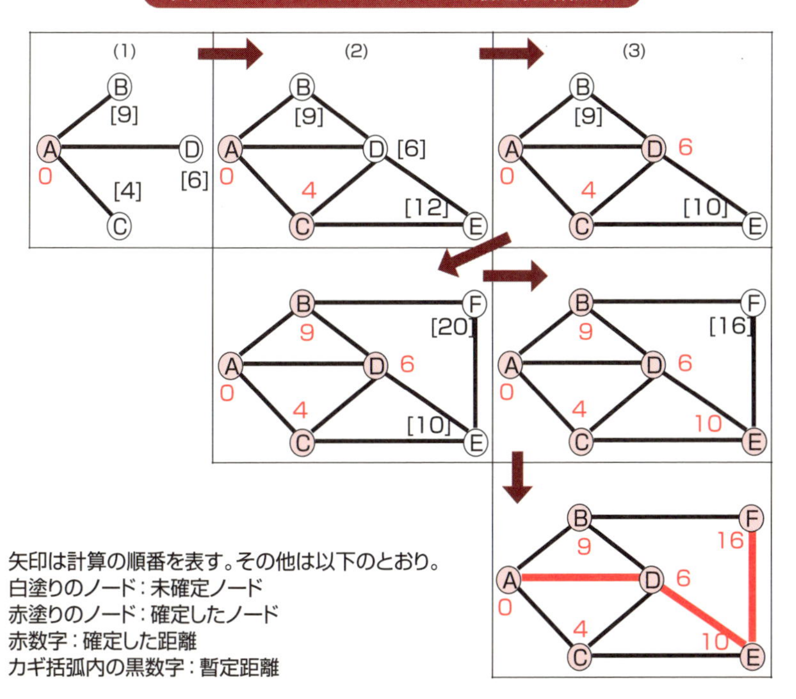

矢印は計算の順番を表す。その他は以下のとおり。
白塗りのノード：未確定ノード
赤塗りのノード：確定したノード
赤数字：確定した距離
カギ括弧内の黒数字：暫定距離

52 Q学習による最短経路検索

代表的な機械学習による最短経路検索

ダイクストラ法による最短経路検索は論理にもとづいて順番に検索を進めていく、言わば理詰めの方法です。これと対極にあるのは迷路実験中のネズミなどに見られる動物が試行錯誤を繰り返しながら餌に辿りつく最短経路を自ら学習するやり方です。これを機械で真似た最短経路検索法としてQ学習という方法があり、迷路検索や自律移動ロボットなどの分野でよく使われています。

検索したい全ての道を含む領域を升目状に分割し、それぞれの升に番地を割り当てます（図1）。車が入り込めない道以外の升に罰として大きな負の数字を割り当て、目的地の升には報酬として大きな正の数字を割り当てます。

ある升に自車がいて、移動できるのは東西南北の4方向とします。4方向の移動それぞれにQ値と呼ばれる価値（期待効用値）を持たせます。Q学習は東西南北方向の移動に対してのQ値を学習によって獲得していきます。学習後にQ値の高い移動を順次選択することで目的地に辿りつきます。

各升のそれぞれの移動に対するQ値を求めるには次のようにします。最初はどのように移動したらよいかわからないので、それぞれの移動にランダムにQ値を割り当ててQ値の高い方向へ移動してみます。移動を繰り返しているうちに道ではない升に辿りついてしまうならその経路のQ値を学習によって小さくしていきます。一方、移動を繰り返すことで目的地に到達して報酬を受け取れる移動なら学習によってQ値を高くします。

移動を試行錯誤で繰り返しながらQ値を更新していた結果、各升の東西南北方向のQ値に分布ができます（図2）。例えば38升にいたら東への移動のQ値が最も高く、この移動によって目的地に早く辿り付けると期待されます。Q値の高い移動をつなぎ合わせれば最短経路を見つけ出せます（図3）。

要点BOX
- ●機械学習でも最短経路を検索できる
- ●自律移動ロボットなどでよく使われている
- ●移動を繰り返しながらQ値を学習で獲得する

図1　Q学習を説明するための例

1	15	29	43	57	71	85	99	113	127	141	155	169	183	197	211	225	239
2	16	30	44	58	72	86	100	114	128	142	156	170	184	198	212	226	240
3	17	31	45	59	73	87	101	115	129	143	157	171	185	199	213	227	241
4	18	32	46	60	74	88	102	116	130	144	158	172	186	200	214	228	242
5	19	33	47	61	75	89	103	117	131	145	159	173	187	201	215	229	243
6	20	34	48	62	76	90	104	118	132	146	160	174	188	202	216	230	244
7	21	35	49	63	77	91	105	119	133	147	161	175	189	203	217	231	245
8	22	36	50	64	78	92	106	120	134	148	162	176	190	204	218	232	246
9	23	37	51	65	79	93	107	121	135	149	163	177	191	205	219	233	247
10	24	38	52	66	80	94	108	122	136	150	164	178	192	206	220	234	248
11	25	39	53	67	81	95	109	123	137	151	165	179	193	207	221	235	249
12	26	40	54	68	82	96	110	124	138	152	166	180	194	208	222	236	250
13	27	41	55	69	83	97	111	125	139	153	167	181	195	209	223	237	251
14	28	42	56	70	84	98	112	126	140	154	168	182	196	210	224	238	252

図2　十分な回数の試行錯誤を繰り返した後の各地点のQ値の例

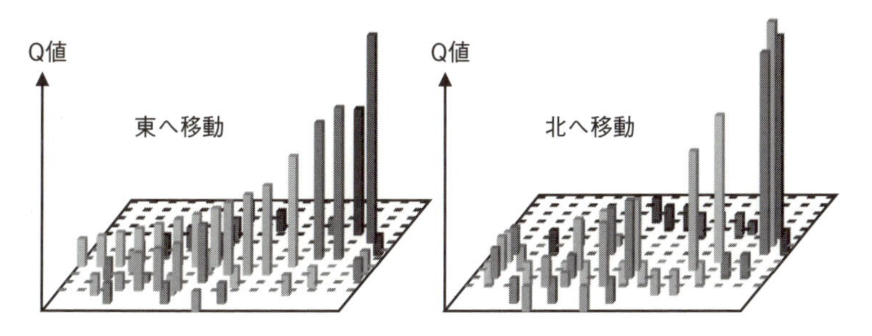

図3　Q値が最も高い移動をつなぎ合わせた経路

番地	各方向のQ値			
	東	西	南	北
24	13.5	-99	-99	-99
36	0	-99	12.2	-99
37	-99	-99	13.5	10.9
38	15	12.2	12.2	12.2
39	-99	-99	10.9	13.5
⋮	⋮	⋮	⋮	⋮
216	-99	36.5	90	-99
217	100	-99	81	81
218	-99	-99	72.9	90
219	-99	65.6	-99	81

1	15	29	43	57	71	85	99	113	127	141	155	169	183	197	211	225	239
2	16	30	44	58	72	86	100	114	128	142	156	170	184	198	212	226	240
3	17	31	45	59	73	87	101	115	129	143	157	171	185	199	213	227	241
4	18	32	46	60	74	88	102	116	130	144	158	172	186	200	214	228	242
5	19	33	47	61	75	89	103	117	131	145	159	173	187	201	215	229	243
6	20	34	48	62	76	90	104	118	132	146	160	174	188	202	216	230	244
7	21	35	49	63	77	91	105	119	133	147	161	175	189	203	217→	231	245
8	22	36	50	64	78	92	106	120	134	148	162	176	190	204	218↑	232	246
9	23	37	51	65	79	93	107	121	135	149	163	177	191→	205→	219↑	233	247
10	24→	38→	52→	66→	80→	94→	108→	122→	136↓	150	164	178→	192↑	206	220	234	248
11	25	39	53	67	81	95	109	123	137→	151→	165→	179↑	193	207	221	235	249
12	26	40	54	68	82	96	110	124	138	152	166	180	194	208	222	236	250
13	27	41	55	69	83	97	111	125	139	153	167	181	195	209	223	237	251
14	28	42	56	70	84	98	112	126	140	154	168	182	196	210	224	238	252

53 深層強化学習による自動運転

自動運転のために期待されている人工知能技術

Q学習によって難しい理屈を考えることなく試行錯誤を繰り返して最短経路を見つけることができます（52参照）。この方法を一般化した機械学習は強化学習と呼ばれています。

強化学習ではロボットなどのシステムをエージェントと呼び、エージェントが自分の置かれる環境の状態を観測できるとしています。さらにエージェントの操作や行動によって環境の状態が変化し、環境が特定の状態に辿りつくと報酬がもらえます（図1）。

台車駆動型倒立振り子の制御が簡単な例としてよく使われます（17図1参照）。この問題は複雑な運動方程式を駆使した現代制御で解くこともできますが、Q学習などの強化学習を使えば運動方程式を解くことなく倒立振り子を制御できることが確認されています。

自動運転システムの置かれている環境は非常に複雑で、全てを方程式やモデルで記述することは困難です。このような場合には強化学習と畳み込み型などの深層学習を組み合わせた深層強化学習と呼ばれる技術が有効と考えられています（40参照）。一例として複数の畳み込み層とプーリング層、全結合層で構成された深層強化学習型の制御器にカメラやLiDAR、レーダーなどから得られる環境の状態に関する情報や、GPSや慣性センサなどから得られる自車の位置に関する情報、地図情報などを入力し、制御器の出力は前進、後退、停止、右折、左折の5種類の行動とします（図2）。このようなシステムを複数台用意し、障害物などのある環境に置き、ぶつからずに走り続けられる時間が長いほど高い報酬を得られるような学習の実験が行われました。最初は障害物や他車にぶつかったりして長く走り続けられませんでしたが、学習が進むにつれて障害物や他車を避けつつ走り続けられるようになります。

要点BOX

- ●Q学習の一般化は強化学習と呼ばれている
- ●行動を繰り返しながら報酬を得るように学習する
- ●モデルなどが分からなくても制御できる

図1　強化学習のためのモデル

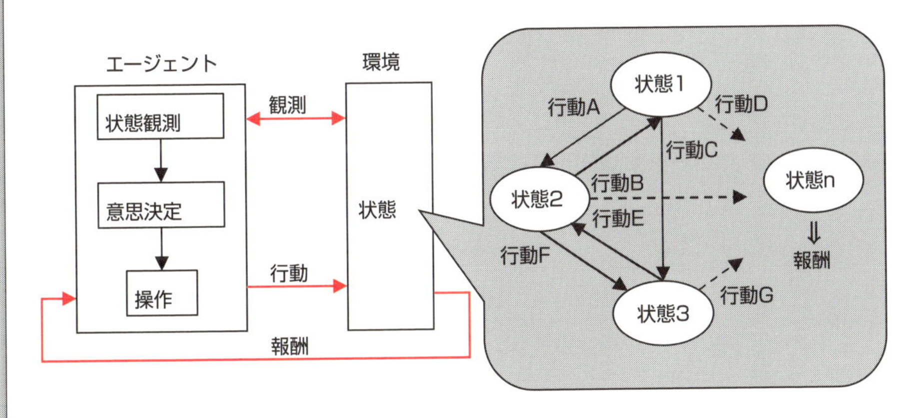

図2　自動運転のための深層強化学習の例

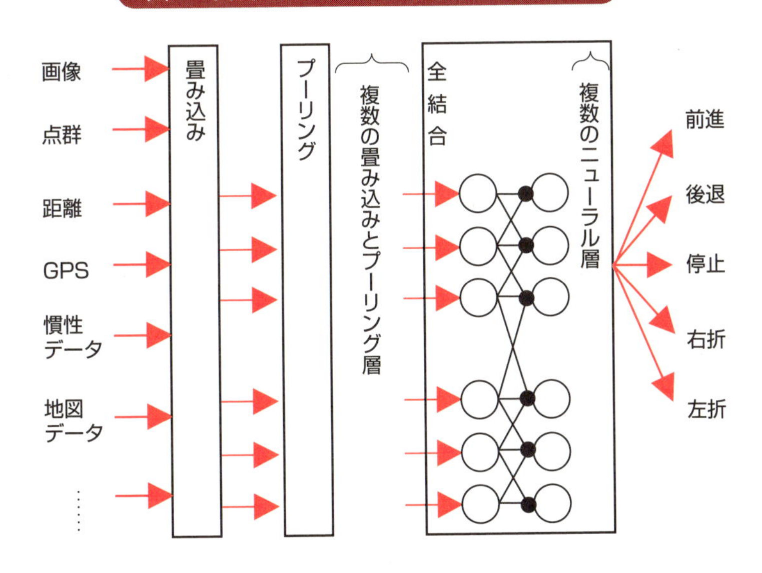

54 GPGPU

人工知能の実現に適しているハードウェア

数式やモデル、ルールによる制御のためにCPU*は一般に使われています。CPUはメモリ上の命令群（プログラム）に従ってデータを演算したりコンピュータ全体を制御したりして情報を加工します。命令を順に読み込んで、解釈と実行を繰り返すために制御部と演算部、レジスタ群、バスなどで構成され、if-then式などのルールを処理できるように制御部が複雑な回路構成になっています。

一方、深層学習などのニューラルネットワークは複雑な条件判断を必要とせず、代わりに多くの演算処理を実行する必要があり、CPUよりもGPU*と呼ばれる画像処理専用に設計された装置の方が適しています。これまでのGPUは3次元グラフィックスを実時間で表示するために投影変換などの3次元画像処理を高速に行い、結果をディスプレイに出力する役割を担ってきました。一度に多くの画素に対して処理を並列に実行できるようにコアと呼ばれる単純な処理を行う演算器を大量に備えています（図2）。複数のコアにそれぞれ異なるデータが与えられますが、それらのデータに対して同じ命令を実行するので命令発行ユニットが1つしか設けられていません。またそれぞれのコア間のデータを共有する目的で共有メモリが設けられています。

この構造は並列演算性能が優れていて、行列演算に向いているのでコンピュータグラフィックス以外の用途でもGPUが使われるようになり、GPUによる汎用計算技術はGPGPU*と言います。GPGPUは畳み込み型などの深層学習に適していると考えられ、大変期待されています。

人間の左脳は文字や言葉を認識し、思考や論理を司る人間的な脳、右脳は視覚や聴覚などを認識し、五感を司る動物的な脳と言われ、CPUが左脳、GPUが右脳に例えられています。

●多数のデータに対して同じ命令を実行する
●行列などの並列演算に向いている
●CPUは左脳、GPUは右脳に例えられている

図1　CPUの構成

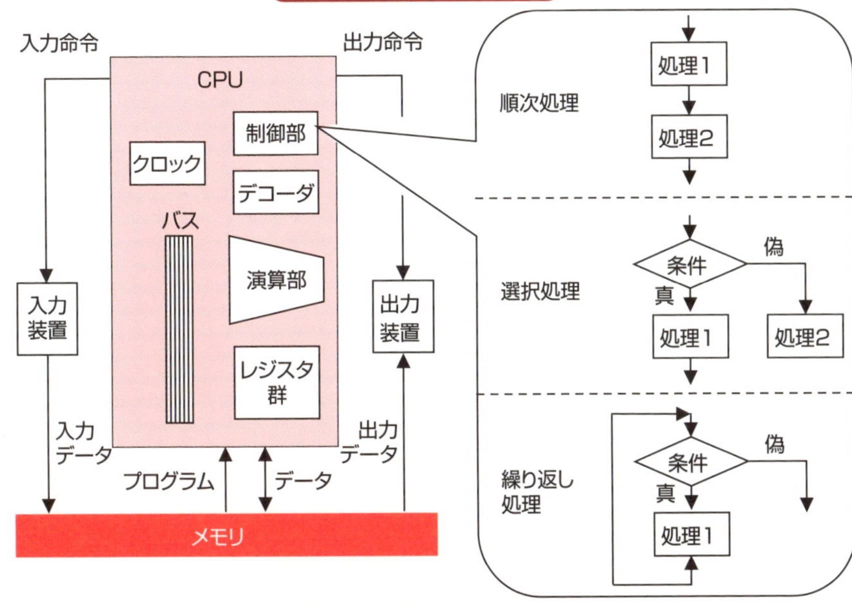

図2　GPUの構成例

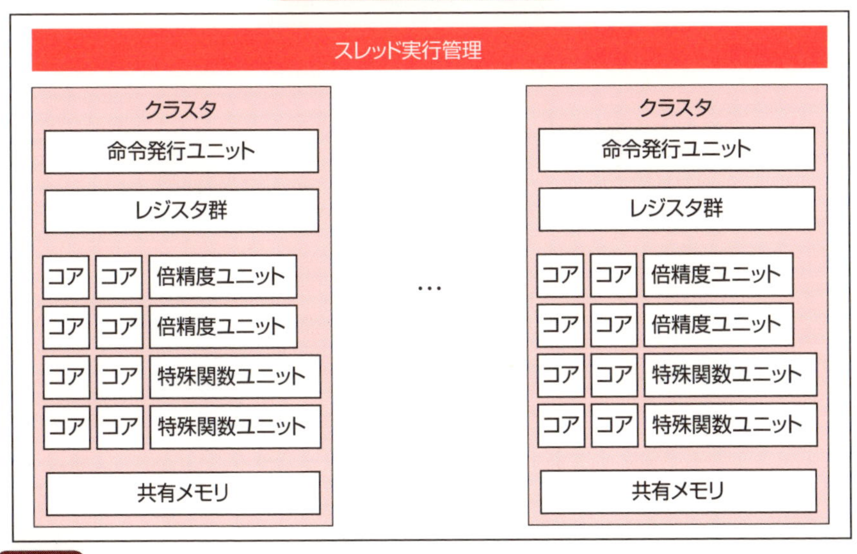

用語解説

CPU：Central Processing Unit、中央処理装置

GPU：Graphics Processing Unit、グラフィックス処理装置

GPGPU：General-Propose Computing on Graphics Processing Unit、グラフィックス処理装置による汎用計算

Column

四色定理

複雑な思考と推論を順に組み立てて高度に抽象化された問題を解いたり証明したりしていく数学は人間の知的活動の中でも最上級に属します。しかし数学の分野においても人間がコンピュータの力を借りないと物事を理解できない時代がもう来ています。

数学上の有名な難問の1つに四色問題（四色定理）と呼ばれる地図の色を塗り分ける問題があります。四色問題とはどんなに複雑な地図でも最大4色さえあれば必ず塗り分けることができるという命題の真偽を証明する問題です。平面上に境界線によって囲まれたいくつかの領域からなる地図を考えます（図）。境界線の一部を共有するような隣り合った領域は異なった色で塗り分けなければならないとします。

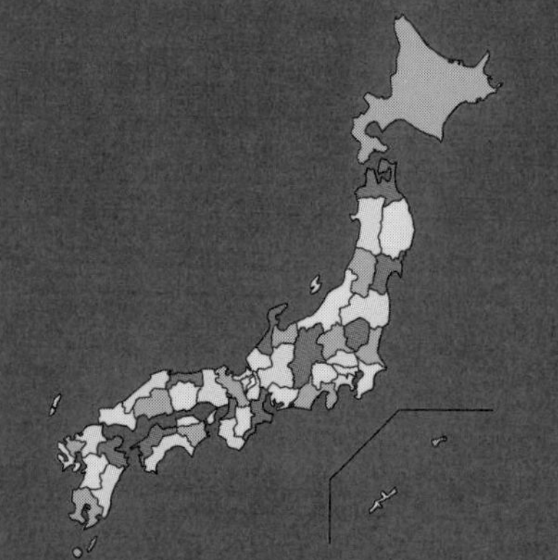

この問題は1852年にフランシス・ガスリーが弟のフレデリック・ガスリーに質問したのを発端に問題として定式化され、19世紀後半から多くの数学者を悩ませてきたグラフ理論上の最も有名な未解決問題として20世紀後半まで残されました。四色問題は1976年にケネス・アッペルとヴォルフガング・ハーケンによって最初に解かれたとされています。しかしその解法はコンピュータで約2000個の可約な配置からなる不可避集合を見出すという、人手による実行が事実上不可能な複雑なプログラムの実行を必要としたため、一応解法として認められたものの不満が残りました。

その後アルゴリズムやプログラムが改良され、より簡易な手法による再証明が行われたり複数の第三者による改良された証明が行われたりしました。現在では四色問題は解決していると捉えられていますが、今でも大勢の数学者がコンピュータに頼らない解法を求め続けています。

深層学習による自動運転システムにおいても人間がシステムの動作を理解、把握できるかが議論されていますが、人間の理解には限界があることを認めないと前に進まないかもしれません。

第5章

ヒューマンマシンインターフェース技術

55 自動運転時代のヒューマンマシンインターフェース

機械と人間のコミュニケーションが重要

これまでの車のHMI*としてハンドルやアクセル、ブレーキ、スピードメータ、タコメータ、方向指示器、各種警告灯などが使われ、さらに周囲とコミュニケーションを取るためにクラクションやヘッドライト、ブレーキランプなどが使われてきました。電子化が進むと制御でハンドルやアクセル、ブレーキの「味付け」ができるようになり、これらを介して運転の操作感向上が注目されました。またナビやAV機器のためにモニターとタッチパネルがインパネ*に導入され、見た目や使い勝手の良いHMIが求められることになりました。

カメラが採用され、自動化のレベルが1、2へと進むにつれて車がドライバーに伝えなければならない情報が増え、効率かつ正確に情報を提示するために画像合成など情報を加工したり、不要な情報を省いたりする手段が取られています。例えば全方位モニターでは車の前後左右に複数台のカメラを取り付けてそれらから得られた映像を合成することで上空から見たような映像が得られます（図1）。これによってドライバーに瞬時に車両周囲360°の路面状況や障害物などの情報を伝えることができます。

レベル3以上の自動運転になるとシステムが主体的に運転操作するためドライバーに運転に関する複雑な情報を伝える必要が少なくなります。しかしドライバーとシステムのどちらも運転する可能性があるレベル3においてはコミュニケーション不足による事故が考えられます。例えば1994年に起きた中華航空140便の事故では同機が名古屋空港に着陸しようとした際、自動操縦システムが着陸をやり直すために水平安定板を前傾させるなどして機首を上げました。一方、パイロットは着陸進入を継続するために昇降舵を後傾にして機首を下げる操作を続けたために機体が40°を超える異常な機首上げ姿勢に至り、失速、墜落しました（図2）。

要点BOX
●画像合成や不要情報の省略が行われている
●ドライバーとシステムのコミュニケーション不足による事故事例がある

図1　全方位モニター

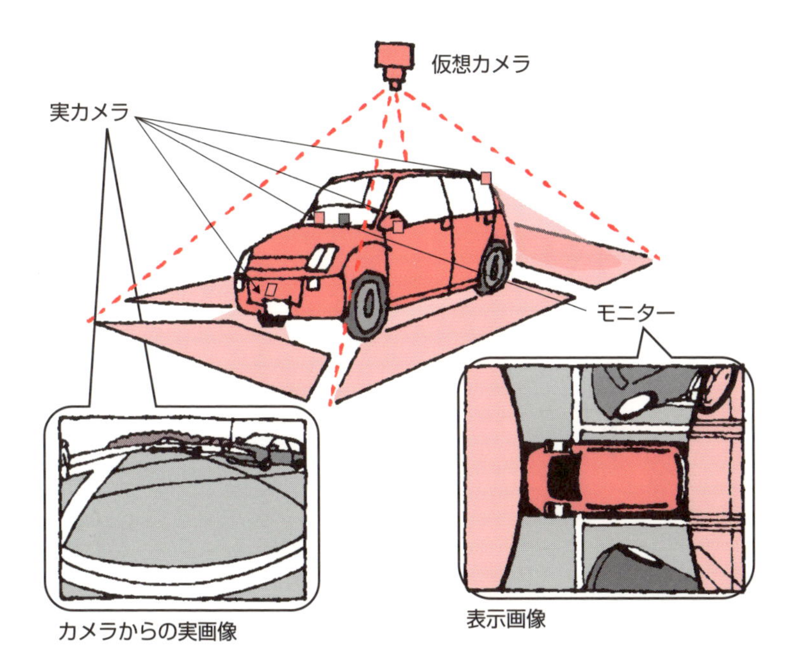

図2　中華航空140便の墜落事故要因

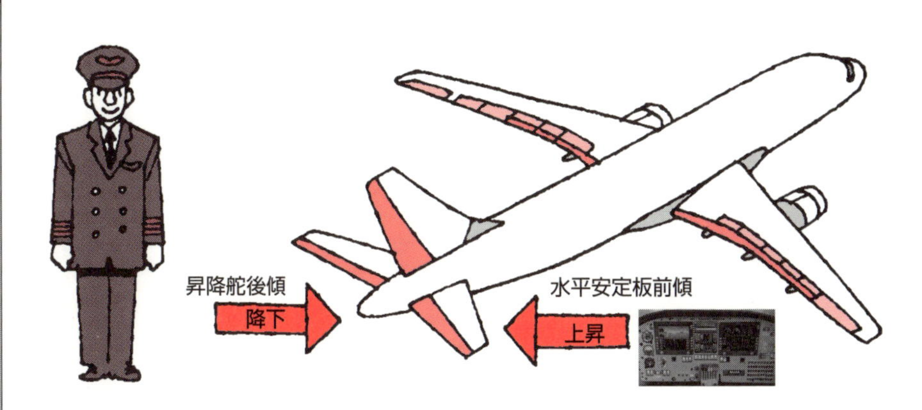

用語解説

HMI：Human-Machine Interface、ヒューマンマシンインターフェース、人が機械に指示したり、逆に機械が人に警告などの情報を提供したりするための手段

インパネ：インストルメントパネル、メーター類が設置されている運転席前面の計器盤

56 ドライバーの状態監視・推定

大切なドライバーを見守るための技術

　レベル2以下の自動運転においてドライバーはいつでも運転操作ができるように少なくともハンドルに手を添えていなければなりません。またレベル3においてもドライバーがシステムの運転交代要請に応じなければなりません。そのためにシステムがカメラなどを使ってドライバーの状態を監視し、例えばドライバーが居眠りしていたりすることで危険な状態に陥りそうな場合にはシステムが警報を出すなどしてリスク低減を図ります。このような監視システムはDMS*と呼ばれています。

　ドライバーがハンドルに手を添えている状態、手を離している状態はそれぞれハンズオン、ハンズオフと言います。ハンズオンに関してはWP29*で策定された国際基準でシステムをオフにするタイミングなどが決められています（図1）。日本では国土交通省が2019年10月以降の新型車からこの国際基準を適用するとしています。これによってレベル2の自動運転車のドライバーがハンドルから手を離せるのは最大でも65秒までとなります。

　ハンドルに圧力センサを張り付けたりEPSの操舵トルクセンサから信号をもらったりすることで比較的簡単にハンズオンを検知できます（24参照）。一方、ドライバーの居眠りやスマホ操作などを検出し、ドライバーの覚醒度や運転集中度を推定するのはもう少し複雑で、色々な方法が提案されています（図2）。例えば車室内を写すカメラを使ってドライバーの顔や目、瞳孔（黒目）を認識し、まばたきの頻度や目をつぶっている時間などを計測する方法が提案されています。また、居眠りがまだ始まっていない段階からドライバーの表情を深層学習で読んだり赤外線アレイセンサなどでドライバーの顔面温度を測定したりしてドライバーの眠気や覚醒度を予測し、居眠り運転を防ぐために空調を制御したり休憩を提案したりするシステムも提案されています。

要点BOX
- 少なくともレベル3の自動運転まではシステムがドライバーの状態を監視するDMSが必要
- レベル2でハンドルから手を離せるのは65秒

図1　WP29で策定された自動操舵に関する国際基準

カテゴリ	システム	主な要件例
	補正操舵	運転者が50N以下の力でオーバーライド出来ること
A	自動駐車	10km/h（+2km/h）以下で作動すること 運転者が動作をいつでも終了できること
B1	ハンズオン自動車線維持	運転者がシステムをオン/オフできること。また、50N以下の力でオーバーライド出来ること システム作動中に運転者がステアリングを握っていることを検知する機能を備えること ● 最大15秒手放し→視覚的警報（表示） ● 最大30秒手放し→視覚的警報（表示）＋警報音（表示） ● 警報音が30秒以上続く場合→5秒以上の緊急信号により運転者に強く警報のうえ、システムをオフとすること （2017年10月国土交通省発表）
B2	ハンズオフ自動車線維持	（高速道路上に限る） ※継続論議中
C	ドライバー判断自動車線変更	
D	システム判断自動車線変更	
E	連続自動操舵	

図2　ドライバーの覚醒度を検知する方法の例

分類	計測対象	計測方法など
採取	コルチゾール	ストレスによって分泌するホルモン、唾液などで検査
	アミラーゼ	不快な刺激によって上昇するホルモン、唾液などで検査
接触	脳波	眠くなるとα波やθ波のような遅い脳波が出現
	心拍	眠くなると心拍揺らぎの周波数が低くなる
	呼吸	呼吸数の変化を鼻の先に取り付けたサーミスタなどで計測
	眼球運動	眼窩の上下左右縁に装着した皿電極で計測
	頭部	注視の方向に頭部が動く、帽子に内蔵のGセンサで計測
非接触	横揺れ、車線逸脱	ステアリング角センサ、車線検知カメラなどで検知
	まばたき、視線	車室内カメラでドライバーの顔や瞳孔を認識
	顔面温度	赤外線アレイセンサや赤外線センサで検知

用語解説

DMS：Driver Monitoring System、ドライバーモニタリングシステム
WP29：国連欧州経済委員会の自動車基準調和世界フォーラム

57 ドライバーの意図推定

あうんの呼吸を実現するための視線検出技術

ドライバーの意図を理解することがより円滑な意思疎通の実現につながります。これまでも各種制御システムはドライバーのアクセル、ブレーキ、ハンドルの操作量や操作速度から意図を推定して車両の運動をドライバーの意図通りに制御してきました。しかし自動運転システムではドライバーが操作する機会が減ります。それでもレベル2まではドライバーが環境を常に監視していなければならないのでドライバーの運転意図を視線情報から読み取ることができます。例えばドライバーが右折や右車線に車線変更をしたいときには行動を開始する前に右側のサイドミラーとルームミラーで後方を確認します（図1）。この視線の動きを機械学習することでシステムがドライバーの意図を推定できます（図2）。

眼電図または眼球電位図と呼ばれる測定によって眼球運動や視線を正確に計測できますが、そのためには電極を目の上下左右に取り付けなければなりません（56図2参照）。非接触で視線を検出するには2種類の方法が使われています。

1.瞳孔の位置による視線検出

瞳孔は目の中に光を取り入れるための穴で、その位置から視線を検出できます。それにはカメラで撮像した顔面画像から目を見つけ、目頭、目尻、瞳孔などを抽出して、目頭と目尻を基準にした瞳孔の位置から視線の方向を推定します。カメラだけで簡単に視線を推定できますが、表情の変化によって目頭や目尻が移動してしまうことで視線検出の精度が上がりにくいという課題があります。

2.角膜表面での光源像を利用する視線検出

角膜とは目を構成する透明な層状の組織で、ドライバーの顔を近赤外線で照射すると角膜で光が反射し、カメラで顔面を撮像すると光源の像が写ります。これを基準にした瞳孔の位置から高精度な視線検出ができます。

要点BOX
- ●自動運転でもドライバーの意図推定が必要
- ●今まではアクセルなどの操作で推定できていた
- ●今後は視線などからの意図推定技術が必要

図1　右車線に車線変更するときのドライバーの視線の動き

図2　機械学習による視線からドライバーの運転意図推定システム例

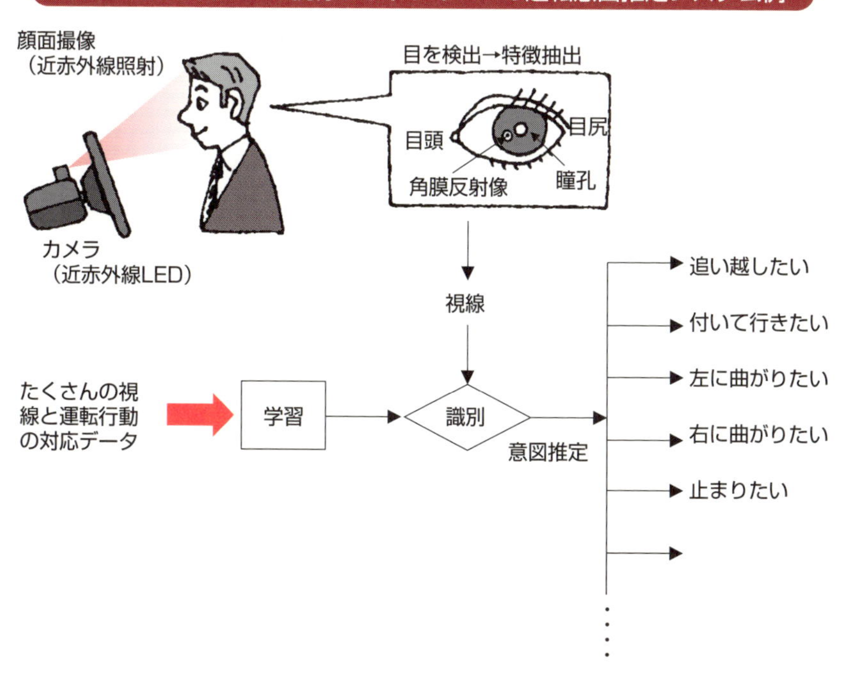

58 音声によるヒューマンマシンインターフェース

人の言葉を理解するのに適した人工知能技術

スマホは特定の掛け声で音声アシスタントを起動し、音声検索や音声操作ができます。料理を作っていて手が離せない場面でレシピを検索できるので大変便利な機能です。スマートスピーカーまたはAIスピーカーと呼ばれている音声で家電を操作できる商品もあります（図1）。

人間の言葉は曖昧・冗長で省略されていたりするのでシステムが理解するのは大変で、高度な推論を必要とします。交差点の近くでタクシーの運転手に「交差点で止まって」と伝えればちゃんとそこで車を止めてくれますが、近くに交差点が見えない場合には「どこの交差点ですか」などと聞き返してくれます。これをシステムで実現するには音声認識、自然言語理解・処理、音声合成・対話などの技術が必要になります。

言語学で、どんな言語でも音声を時間的に区切ると母音、半母音、子音に関係なく音素と呼ばれる単位に分解できることが知られています。音声認識では先ずMFCC*などの特徴量を使って言語音声を音素に分解します。次に辞書などを参照して認識した音素を単語にまとめます（図2）。さらに認識した単語が名詞なのか助詞なのかなどに分類する形態素解析を行い、構文解析、意味解析、文脈解析などの自然言語処理のステップを経てまとまった単語の時系列から意味を読み取ります。

畳み込み型深層学習が画像などの空間的な情報を読み出すのに適していますが、時系列の単語からなる自然言語を処理するのは得意ではありません（40参照）。時間的な情報を読み出すには再帰型ニューラルネットワークがよく使われます（図3）。再帰型ニューラルネットワークでは処理の途中結果となる中間層の内容をコピーして次の入力に加えることで時系列的なデータをうまく処理できるようにしています。

要点BOX
- 人にとって音声インターフェースは自然
- 人の言葉は曖昧でシステムが理解し難い
- 再帰型ニューラルネットワークが適している

図1　スマートスピーカーの使用例

図2　音声認識の仕方

振幅

時間

k o N n i chi w a

こ ん に ち わ → “こんにちは”

図3　再帰型ニューラルネットワーク

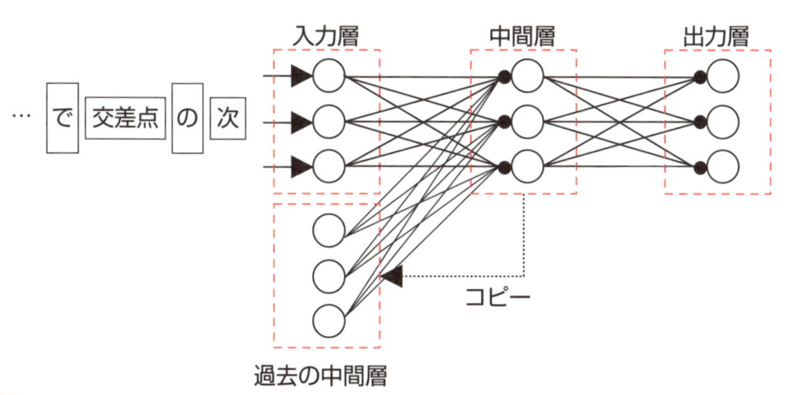

用語解説

MFCC：Mel-Frequency Cepstrum Coefficient、メル周波数ケプストラム係数。音声認識でよく使われている特徴量。人間の聴覚の特性に合わせて低周波は細かく、高周波は粗くなるために効率良く少ない次数で音声のパワースペクトルを表現できる

59 説明可能な人工知能

判断の根拠が分からないと安心して任せられない

ルールやモデルによる制御と違って深層学習を使って判断や制御を行った場合、何を根拠にそのように判断したのか不透明です。そのためドライバーや乗員の不信感を募らせてしまい、安心して自動運転を利用してもらえなくなる可能性があります（図1）。システムの開発者や利用者に求められた場合にその判断の過程や遷移、根拠を説明できるようにするための技術が検討され始め、2016年にはDARPA*主催のXAI*と名付けられた技術開発補助金の募集が始まりました（図2）。

システムの判断根拠を説明するには、システムのどの部分がどのように作用して出力に至っているのかの仕組みと、どのような入力をしたらどんな結果が出力されるのかの挙動という2つの視点があります。少なくともシステムの挙動を説明するには出力に最も影響を与えている部分や特徴量を明確化した上で人間が理解できる画像や文章、音声に変換しなければなりません。そのための手法が研究、提案されています。

例えば、出力が最も大きくなるような入力を合成したり、入力の変化に対する出力の感度を分析したり、特定の出力から入力までの経路を逆にたどったり、様々な入力に対する出力傾向を推定したり、最初から理解できないような判断をしないように学習を制限したり、特定の出力に重要な役割を果たす部分を発見するための別のシステムを用意したりする方法があります。

さらにシステムが発した説明の妥当性や信憑性、正当性、一貫性などを評価するのに、重要と説明された特徴を抜いたときに出力に大きな影響を及ぼすかを確認したり、特定の入力Aに近い別の入力Bに対する説明はAに近く、Aと異なる別の入力Cに対する説明はAと異なることを確認したりします。

要点BOX

- ●機械学習による判断の根拠は分かりにくい
- ●根拠を説明するための技術開発が始まっている
- ●説明には仕組みと挙動の2つの視点がある

図1　自らの行動を説明するシステムが与える安心感

説明なし

システム：（右折ウィンカーを出す）
ドライバー：（???）

説明あり

システム：“この先のサービスエリアまで左車線のほうが混む予想なので右車線に出ます”（→右折ウィンカーを出す）
ドライバー：（安心）

図2　DARPAが提唱しているXAIの概念

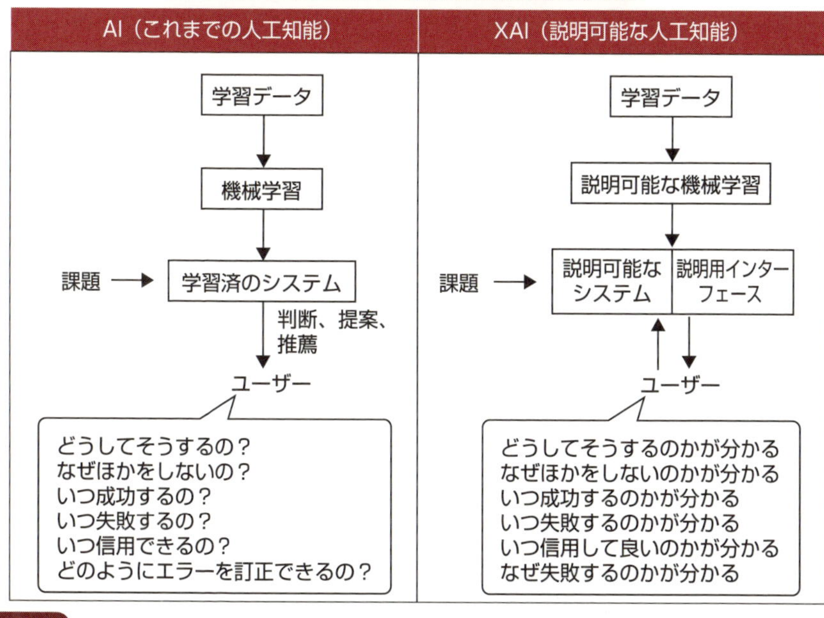

用語解説

DARPA：Defense Advanced Research Projects Agency、米国防総省の国防高等研究計画局
XAI：Explainable Artificial Intelligence、説明可能な人工知能

60 外向けのヒューマンマシンインターフェース

自車の外とのコミュニケーション技術

スムーズな交通や安全運転のためにはウィンカーなどの合図とドライバーや歩行者のアイコンタクトなどが不可欠と言われています。自動運転システムにおいてもシステムが自らの意思を表現し、自車のドライバーだけでなく周囲に知らせる方法が検討されています。フロントの部分に文字を表示したり車体後部に取り付けられたしっぽを振ったりする例があります（図1）。さらにスマートライトと呼ばれる高機能のヘッドランプを使って横断しようとした歩行者を見つけたら停車すると同時に横断歩道の映像を映し出すようにするアイデアも提案されています。

視覚だけでなく聴覚に訴える方法も検討されています。これまでもクラクションが使われてきましたが、刺激性が強く周りにも迷惑がかかります。周りには聞こえず、狙った歩行者や他車のドライバーなどにだけ聞こえる、パラメトリックスピーカーと言う技術があります（図2）。

超音波は直進性が高いので、音声を狙ったところにだけ伝えるのに向いていますが、人間の耳は約20kHzまでの音しか聞くことができません。パラメトリックスピーカーでは狙ったところに超音波を届けてからそこで人間が聞こえる音に変換します。超音波を可聴音に変えるには次のような方法があります。

1．うなりを利用する方法

周波数のわずかに異なる2本の超音波ビームを用意し、一方の周波数を一定にしておき、もう一方の周波数を周波数変調すると、この2本のビームが交差する空間にうなりによる可聴音が発生します。

2．空気の非線形性を利用する方法

周波数が高く、約110dB以上の音圧の強い超音波が空気を伝搬すると、非線形性によって可聴音が発生します。

要点BOX

- 安全運転にはドライバー同士や歩行者とのコミュニケーションも必要
- 視覚や聴覚による方法が研究されている

図1　車の“ボディーランゲージ”による意思表現例

しっぽを
振る

図2　歩行者に道を譲る意思を示す例

Column

テレパシー

人間同士のコミュニケーションでは口調や声のトーン、話のテンポなどの聴覚情報、しぐさや視線などの視覚情報が話の内容よりも重要な場合があると言われています。音声や表情などからユーザーの感情を読み取ることができればシステムがユーザーの要望をより的確に応えることができると思われています。

深層学習を使って感情を伴う音声情報から笑い声や怒鳴り声などの感情を判別したり、眼球や顔の筋肉の微細な動きから怒りや恐怖、喜び、悲しみ、驚き、快不快などの状態を判別したりする研究の例があります。しかし感情を表に出さない人がいたり、わざと感情と違う表情を作ったりすることもできるので感情音声や表情だけから正確に感情を読み取るのは困難です。テレパシーで人の心が読めればどれだけコミュニケーションが楽になることでしょう。

EQ-Radioと名付けられた、感情を無線信号で読み取る技術が開発されています。Wi-Fiなどの電波を人体に向けて発信し、跳ね返ってくる信号から呼吸や心拍数などを測定することで人の感情を読み取ります。心拍数などの身体の内部状態と感情には強い相関があり、恐怖や怒りを感じれば鼓動が高まったりします。ヨーガなどでは身体の内部状態の変化が感情を生み出していると考え、気持ちを制御するのに呼吸を整えるなど、身体の内部状態を制御するようにしています。

電波が胸部に当たって跳ね返るときに呼吸などによる胸の微小な動きが原因で反射波に変化が生じ、これを分析することで息づかいや心拍数などが分かります。この方法による心拍数の計測は心電図モニターと同じぐらい正確と言われています。機械学習を使ってこのデータを興奮、喜び、怒り、悲しみなどに分類することで感情を読み取ることができます。

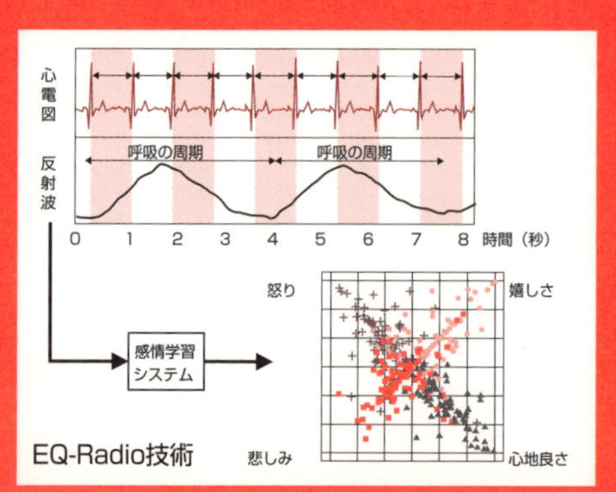

第6章 自動運転技術のこれから

61 通信に頼る自動運転

コネクテッドカーと自動運転の関係

携帯電話単体では計算能力やメモリ量などの制限から実現できない機能や受けられないサービスがありますが、常時インターネットに接続することでサーバーの無尽蔵なメモリなどを利用できるようになり、スマホへと大きな進歩を遂げることができました。同様に通信機能を搭載した車が常にインターネットに接続することでネットを経由して情報を収集したり分析したりできるようになり、多くの高度な機能が可能になると考えられています（図1）。これはコネクテッドカーと呼ばれ、これで可能になると考えられている機能をいくつか紹介します。

①遠隔からの車両状況の把握や操作
②音声対話による高性能なエージェント機能
③故障や急病などの迅速な対応や、救助活動ができるための自動緊急通報（eCall）
④ダイナミックマップのダウンロード（50参照）

さらに路車間や車車間などの通信機能を利用することで車載センサーだけでは得られない情報を入手できます。これにより例えば見通しが利かない交差点での出会い頭や飛び出し事故などを予防するために、警報したりブレーキ操作を支援したりすることができます。2021年に中国の百度（バイドゥ）社と清華大学が共同で車道側のカメラなどのセンサーとの通信だけに頼って車載センサーを不要にした自動運転車アポロ・エア計画を発表し、注目されています。

また通信機能を車の制御に利用できれば遠隔型や管制型の自動運転を実現できます。これによって自律型自動運転システムの緊急時などに備えて遠隔に存在するバックアップドライバーが管制塔から車を操作して安全を確保したり、過疎地で不足勝ちのバスやタクシーの運転手に代わって都心などのドライバーが遠隔操縦して移動サービスを提供したりできるようになります。

要点BOX
- 車を常時インターネットに接続することで様々な機能やサービスが実現される
- 車載センサ不要の自動運転車開発も計画

図1　コネクテッドカーの概念

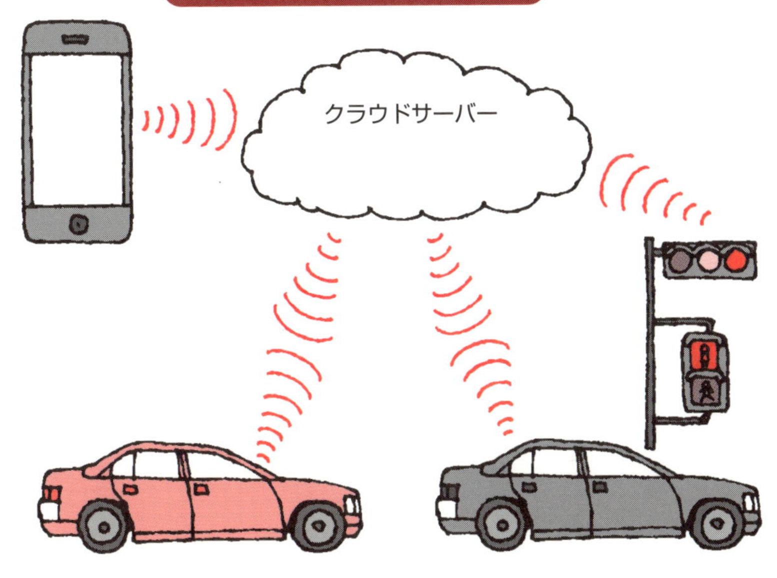

図2　遠隔管制型自動運転システム

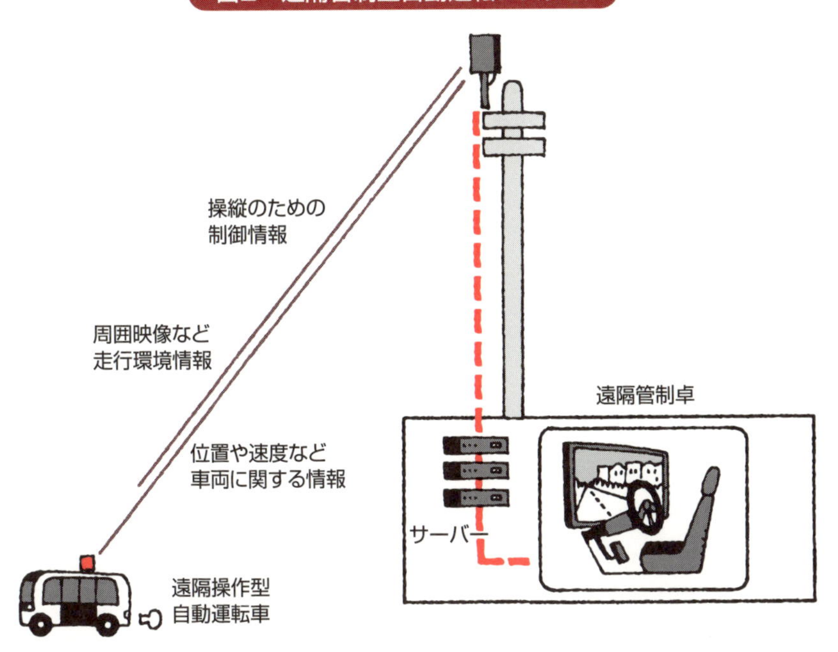

62 5G通信技術

超高速低遅延の通信規格

日本では2020年に現在の携帯電話などの移動体通信に主に使われているLTE*や第4世代通信（4G）より高性能な通信ができるような第5世代または5G通信と呼ばれる通信規格の商用サービスが始まっています。5G通信には10Gbpsの超高速大容量、1ミリ秒程度の高信頼・超低遅延、100万台／km²の多数同時接続の性能があります。とくに自動運転の制御に使うには5G通信の超低遅延性能が必須と考えられています。5G通信の遅延時間は4Gに比べて約50分の1になっています。例えば時速30kmや100kmの車を考えると4G通信の遅延の間に車が約42cmや1・4mそれぞれ進んでしまい、場合によっては致命的になる可能性があります（図1）。5G通信ならこの距離がそれぞれ約8mmや2・8cmとなって許容できるようになります。また5G通信の超高速性能を利用することで自動運転中に4Kや8Kなどの高精細映像を楽しめるサービスも提案されています。

5G通信は28GHzという周波数の高いミリ波帯の電波を使って広い帯域幅を確保し、高速性能を実現しています。ミリ波帯の電波は直進する性質を持っており、多数同時接続するためには複数本の電波ビームを使う必要があります。そのために数多くのアンテナによって通信の高速と高品質を実現するMassive MIMO*と呼ばれる技術が使われています。

Massive MIMOを使って一台一台の車に専用の電波を割り当てる技術はビームフォーミングと呼ばれ（図2）、さらに車の移動に合わせてビームを追従させる技術はビームトラッキングと呼ばれています（図3）。また5G通信の高速ハンドオーバー技術によって時速100km以上の車が複数の基地局をまたいで移動しても現基地局から次の基地局へと通信が切れずに安定して引き継がれます。

要点BOX
- ●遅延時間が1ミリ秒程度で4Gの50分の1
- ●ビームフォーミング、ビームトラッキング、高速ハンドオーバー技術を使っている

図1　5G通信の性能

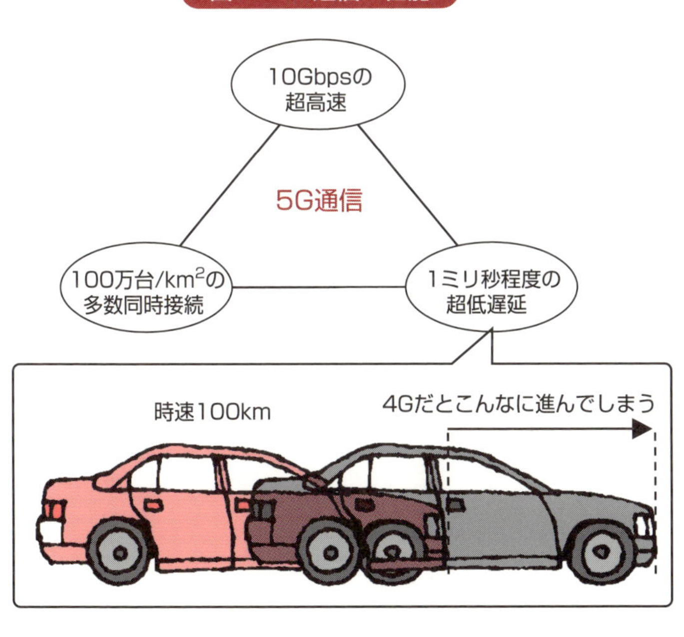

図2　ビームフォーミング

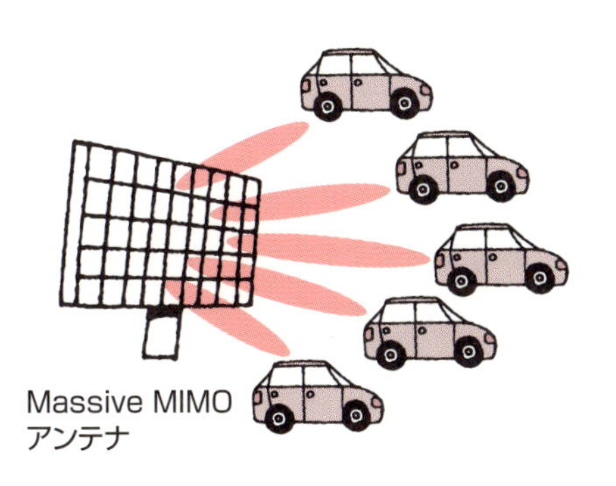

図3　ビームトラッキング

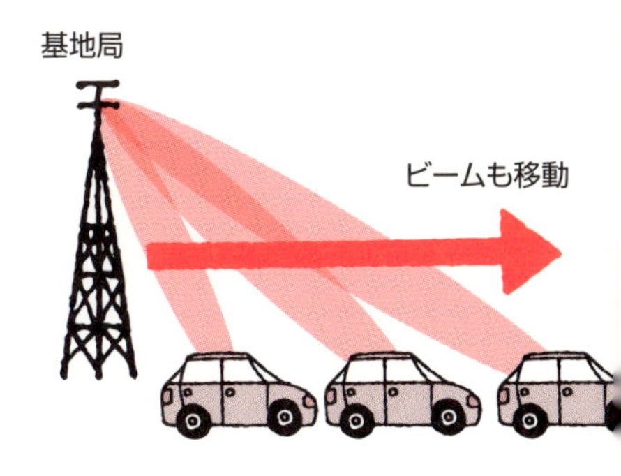

用語解説

LTE：Long Term Evolution
MIMO：Multiple-Input and Multiple-Output

63 カーセキュリティ

今後ますます必要とされるセキュリティ対策技術

コネクテッドカーや自動運転車がハッキングされないようにするための各種セキュリティー対策が検討されています。攻撃手段とその対策をいくつか紹介します。

1.車内に侵入して攻撃する方法

侵入するにはドアをこじ開けたりする物理的な方法やキーレスエントリーの電波を真似た偽の電波でドアを解除する方法があります。

侵入後、ECUなどを物理的に取り替える方法や、自己診断*用ポートなどに接続して制御ソフトなどを書き換えたりする方法、車載通信ネットワーク*にアクセスする方法などが知られています。

2.インターネットを経由して遠隔から攻撃する方法

ネット経由でのドアの施錠、解除や、偽のダイナミックマップなどを流して車を本来の目的地ではないところに誘導してしまう方法などが考えられます。

3.センサをハッキングすることで攻撃する方法

ソナーやレーダー、カメラなどのセンサがハッキングされてしまう危険性があると警鐘を鳴らしている研究者がいます。強い超音波、電磁波、光などの妨害波を出してセンサを動作不能にしたり、偽の反射波を出してセンサを誤魔化したり、メタマテリアルなどの特殊な構造を使って反射を無くしたりする方法があります（図1）。またGPS信号を偽装し、船や車を別の場所へ誘導する実験も行われています（図2）。

センサが誤動作した場合にシステムが常に安全側に制御されるようなフェールセーフ設計が妨害に対する対策にもなります。一方、センサを多重化したり複数種類のセンサを混用したりする方法は信号の改ざんに対する対策になると考えられています。これらの対策技術は今後ますます重要になると思われています。

●車がハッキングされないためのセキュリティ対策が検討され始めている
●センサに対してもハッキング対策が必要

図1　超音波センサのハッキング

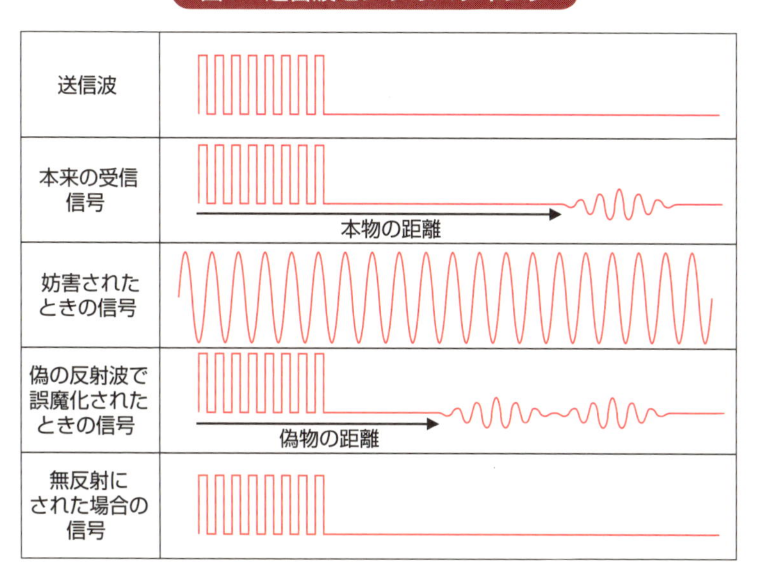

図2　GPS信号の偽装によるハッキング

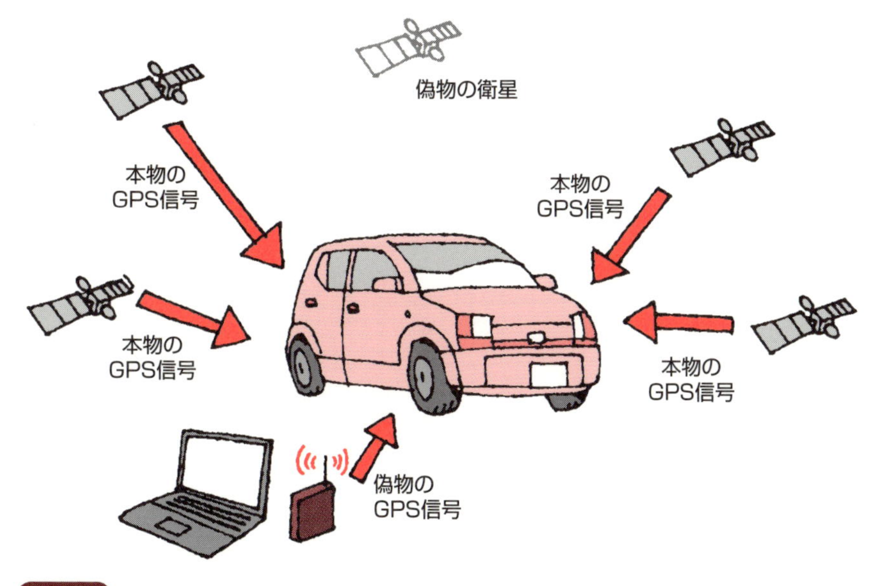

用語解説

自己診断：On Board Diagnostics、OBD
車載通信ネットワーク：Controller Area Network、CAN

64 車の安全技術の変革

衝突安全から車体運動制御、予防安全、そして自動運転

全国の交通事故死者数が減少し続けていますが、救急医療技術の進歩とともにAEBS（7参照）等のレベル2の自動運転の普及がその主な理由と推測されています。しかし自動運転だけで交通事故を完全に無くすことは困難で、シートベルトやエアバッグなど、従来の安全装備の併用は当面必須です。

車の安全性には衝突安全や予防安全などがあります（図1）。市販の乗用車では衝突時に乗員を保護し、怪我を軽減する車体構造や設備が義務付けられています。衝突安全を確認するために車両の開発段階でフルラップ前面やオフセット前面、側面などの衝突試験が行われています（図2）。

車両の横転事故も比較的重大な被害を乗員に与える傾向があります。横転の多くは単独事故で、その原因は横滑りや、縁石などの乗り上げ、脱輪、落下などです。ABSやTCSなどの車両運動制御システムを採用することで横滑りによる横転を防止して安全性を高めることができます（14参照）。

乗員の保護だけでなく対人衝突時に歩行者を車の下に巻き込まないようにバンパーの形状を工夫して人体を上にはね上げ、さらに瞬時にボンネットを持ち上げてその下の部品との空間を広く確保し、歩行者の頭部への衝撃を緩和するような装備が商品化されています（図3）。

事故を起こさせない予防安全のために先ず死角障害物警報や車線逸脱警報、バックモニタなどが装備されるようになり、さらにACCやLKASなどの運転支援装置、誤発進防止装置やAEBSなどの先進安全装置が採用されて運転の自動化が進みました（7参照）。レベル4以上の自動運転になると乗員が必ずしも運転席で前を向いて座っている必要がなくなり、従来のエアバッグなどの衝突安全装備が十分ではなくなるとの心配があります。

要点BOX

- ●レベル2の自動運転と医療技術の進歩で交通事故死者数が減少している
- ●レベル4では従来の衝突安全装備は十分ではない

図1　車に搭載されてきた安全装備の進化

2000年以前		2005	2010	2015	2020
衝突安全	運転制御	警報･モニタ	運転支援	高度運転支援（ADAS）	レベル3の自動運転
シートベルト エアバック	ABS TCS ESC	死角障害物警報 車線逸脱警報 バックモニタ	ACC LKAS	誤発進防止 AEBS	

衝突安全（乗員の保護） → ドライバの意のままの運転を実現 → 予防安全（事故を起こさせない） → 自動運転

（ABS：Anti-lock Braking System
TCS：Traction Control System
ESC：Electronic Stability Control
ACC：Adaptive Cruise Control
LKAS：Lane Keeping Assist System
AEBS：Advanced Emergency Braking System）

図2　フルラップ前面衝突試験

図3　歩行者保護のための衝突安全システム例

65 機能安全とは

車載電子システムの国際安全規格ISO-26262

車の不具合や故障は人命につながりかねず、とくに自動運転では十分対策を講じる必要があります。従来では故障の発生確率と、故障した場合の被害の大きさの2つの指標でリスクを評価し、それに基づいて安全対策が取られてきました（図1）。発生確率が低く、万一起きても被害が小さいようなリスクは対策を打たずに保有し、確率の高いリスクに対しては危険を回避したり低減させたりする対策を打ちます。しかし被害が大きくても発生確率が低いリスクに対しては対策よりも保険をかけるなど、リスクを移転するほうが合理的になります。

自動化が進むにつれて複雑な電子部品が多用され、従来の品質管理だけでは全ての構成要素を長時間に渡って故障なく正常に動作させるには限度が見えてきました。一部が故障しても人命に危害を及ぼさないように安全性を確保する手段が必要になります。そのために機能安全と呼ばれる、監視や防護、安全装置などを使ってリスクを低減する手法が採用され、2011年に制定された車載電子システム向けの国際安全規格ISO-26262に機能安全が導入されています。ISO-26262ではASILと呼ばれる安全水準が定められ、操縦や制御によって危険を回避できる可能性もリスクの評価指標に加えられています。

EPS（24参照）の故障でステアのアシストができなくなってもドライバーだけの力でハンドルを回すことができるのでC以下の比較的レベルの低いASILが相当し、ハンドルがロックしたり勝手に回ったりしてしまう場合には人命に関わる大事故を回避できなくなる可能性が高いのでDという高いレベルのASILになります（図2）。EPSの主系を監視し、故障が検出された場合には主系を停止させて冗長系へ制御を切り替えたりドライバーへ警告したりすることで安全性を高めることができます（図3）。

要点BOX
- 部品の故障で事故が起きる
- 機能安全とは監視や防護、安全装置などを使って安全を確保

図1　リスク評価に基づく対策

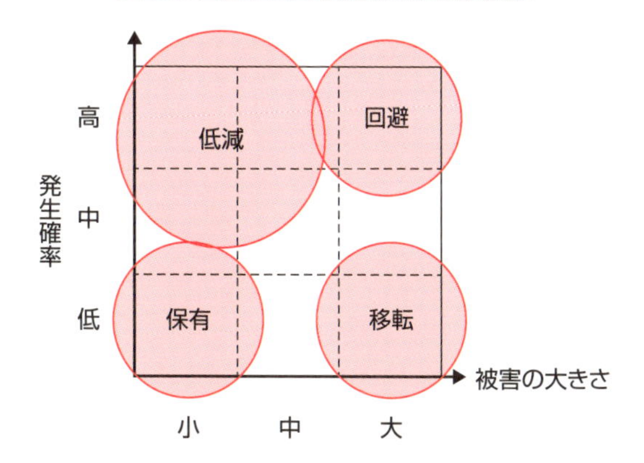

図2　運転中の主な危険事象に対応するASILレベルの例

事象		ASILレベル
走る	急発進	B〜D
	急加速	B〜D
	駆動機能の喪失	QM〜C
止まる	急制動	C〜D
	1輪制動	D
	制動機能の喪失	C〜D
曲がる	セルフステア	D
	ステアリングロック	C〜D
	アシストの喪失	A〜C
見る	視界不良	QM〜B
	視界の喪失	A〜B

図3　機能安全による安全性の確保

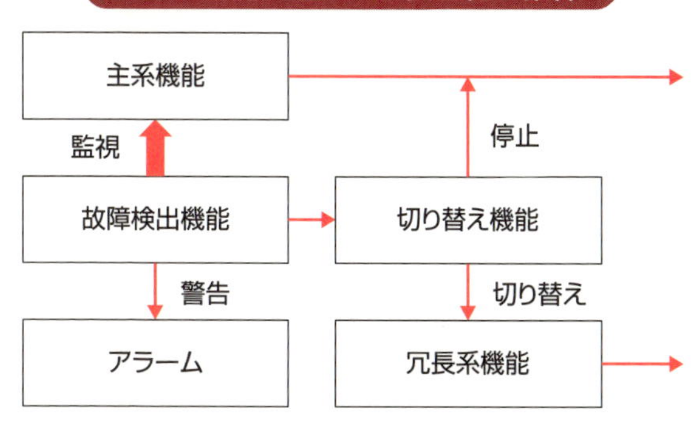

66 意図された機能の安全性とは

安全性に関わるもう1つの国際規格ISO-21448

自動運転は膨大なソフトウェアや人工知能で危険を判断し、回避行動を取っていることから部品の故障以外でも事故が起こり得ます。例えば逆光でカメラからの映像が止まり、システムは危険と判断、ブレーキをかけた結果追突事故が起きます（図1）。この事態に関する安全性はSOTIF*と呼ばれ、とくにレベル3以上の自動運転には必須です。SOTIFではセンサーなどの部品の性能限界や誤使用などのリスクを想定して安全なシステムを設計することを求めています。SOTIFに関わる国際規格としてISO・21448があります。

SOTIFでは予見の可能性と危険性で事象を4つの領域に分類しています（図2）。通常システムが動作しているのは既知で安全な領域1です。逆光や雨などでカメラが正常に動作しなくなるのは既知の危険な領域2に相当します。高性能のカメラを使ったり、センサーフュージョンにしたり、警告してマニュアルモードに戻したり、センサーやシステムの使用を制限したりすることでリスクを許容可能なレベルまで下げて安全を確保できます。未知で危険な領域3は予測したり対応したりするのが困難なのでこの領域をできるだけ小さくする必要があります。原因を特定し、未知を既知に変えることで事象を領域2に移すことができます。領域4は未知の危険ではない事象で、これが発見された場合には明文化や記憶しておくことで領域3を最小にするための助けになります。

SOTIFのほかに自動運転車がハッキングされると安全性にも影響が出ます（図3）。2021年に車載用サイバーセキュリティの国際規格ISO／SAE-21434が発行され、製品開発、製造、運用、保守、廃棄までの車のライフサイクル全般に渡るサイバーセキュリティ対策が規定されています。

要点BOX

- 事故の原因は部品の故障以外にSOTIFもある
- 車のライフサイクル全般に渡るサイバーセキュリティ対策が規定されている

図1　意図された機能の安全性(SOTIF)の例

図2　SOTIFの4つの領域

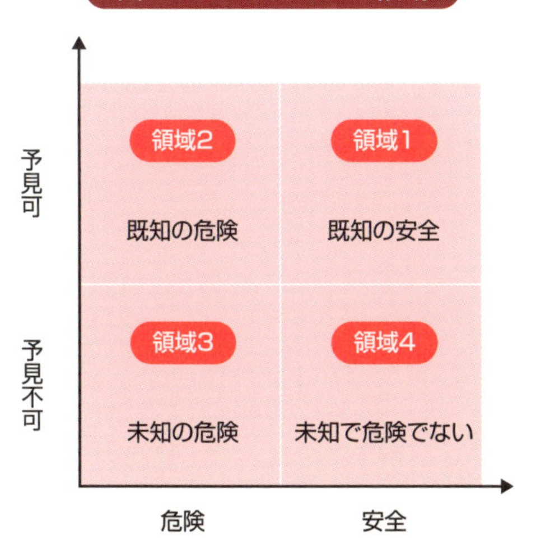

図3　自動運転車の安全性

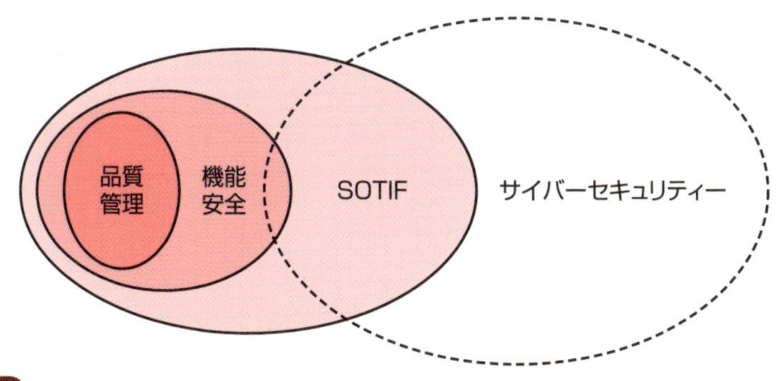

用語解説

SOTIF：Safety Of The Intended Functionality、意図された機能の安全性

67 安全第一の自動運転車開発

今後の自動運転車開発の目指している方向

多くの企業が自動運転の開発に参入してきており、レベル2から3、4へと開発競争が激化しています。そこで2019年にAudiなどの自動車関連企業11社が集まって自動運転車開発の目指すべき指針をまとめ、安全第一のための自動運転白書（SaFAD*）を発表しました。また国土交通省も2018年に自動運転車の安全技術ガイドラインを策定しました。

自動運転にとってその安全性は何よりも重要で、故障が多発したり使い方が難しく利用者を混乱させたり誤解を与えたりしてはなりません。またシステムが作動している間、乗車人員や他の交通の安全を妨げず、有能なドライバーが注意深く運転しているのと同等以上の安全性が期待されています。

SaFADでは基本指針として、機能停止時などの安全、設計者が定める限定領域についての指針、運転操作の受け渡し時の安全、セキュリティー、ユーザーの責任、ドライバーが対応できないときのシステムの対応、ドライバーの意思に関する指針、安全アセスメント、データの記録、衝突安全、交通の中でのふるまい、リスク最小化制御、計12の原則を定めています（図1）。

これまで利用者がレベル2しか対応していないシステムを過信して注意義務を怠り、事故になった事例がよくありました。そこでSaFADではISO-26262やISO-21448などの安全規格に適合する上にシステムがユーザーの状態を認識してユーザーの責任を通知し続けることを求めています。また走行中に万一自動走行に直決するEPSやカメラ、ミリ波レーダー、LiDARなどが故障した場合でも車両が停止するまでの制御を担保するリスク最小化制御が導入されています（図2）。

要点BOX
- SaFADとは安全第一のための自動運転白書
- 12の原則が定められている
- 最小リスク条件が導入されている

図1　安全第一のための自動運転白書（SaFAD）

Aptiv／Audi／Baidu／BMW／Continental／Daimler／Fiat Chrysler ／ Automobiles ／HERE／Infineon／Intel／VW

SaFAD
自動運転車開発の基本指針

- 機能停止時などの安全
- 設計者が定める限定領域についての指針
- 運転操作の受け渡し時の安全
- セキュリティー
- ユーザーの責任
- ドライバーが対応できないときのシステムの対応
- ドライバーの意思に関する指針
- 安全アセスメント
- データの記録
- 衝突安全
- 交通の中でのふるまい
- リスク最小化制御

図2　リスク最小化制御

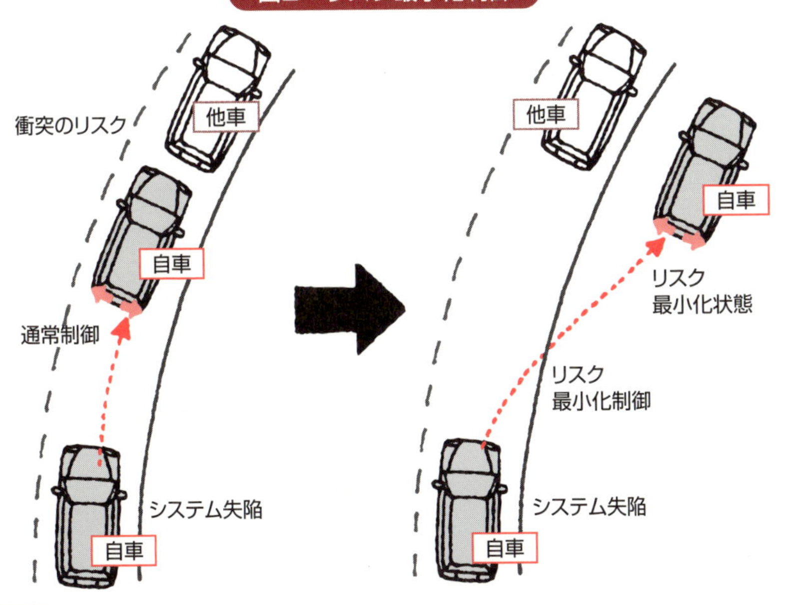

用語解説

SaFAD：Safety First for Automated Driving

68 自動運転の安全性評価

効率よく網羅的に安全性を評価する方法

自動運転やそれに使われている人工知能の安全性を評価・検証するのに様々な状況下で長時間に渡って長距離走行実験を繰り返す方法では開発スピードが遅くコストもかかります。また評価の範囲が十分と保障することが困難です。そこで今まで蓄積してきた事故や交通流の観測データなどを使って評価のためのシナリオを設定する方法が使われています。

安全性評価用シナリオの設定には道路の形状と、自車の動作、他車や二輪車・歩行者などほかの交通参加者の位置や行動のほかに、逆光や照度不足などによるセンサー不調や不検知・誤検知・認識限界、横風や低μ路などによる車両運動の不安定性なども考慮する必要があります。例えば高速道路の本線で自車が車線を維持しながら一定速度で走行し、追い越し車線で並走している周辺車両が前方で合流して減速する場面が1つの安全性評価用シナリオの例になります（図1）。

各々のシナリオを実交通環境やテストコースで再現して評価するほかにシミュレーションモデルを使った仮想環境で評価する技術が研究開発されています。センシングや認知・判断、操作など、実空間上の自動運転システムの動作を模擬するために仮想空間上に各種センサーや自動運転システムのモデルを使います。また仮想空間上の走行環境モデルで実空間の道路形状や周囲車両、歩行者などを模擬します。さらに自車の車両運動を再現するためにタイヤやシャシ（車台）、ボディ（車体）などの車両モデルを使い、ECUのモデルで車両運動制御を模擬します。この方法は実交通環境やテストコースで再現が難しいシナリオでも仮想環境で簡単に評価できますが、評価の信頼性を高めるには各種モデルの正確さが求められます。

要点BOX

- ●長時間に渡って長距離走行実験は効率が悪い
- ●安全性評価用シナリオが使われている
- ●仮想環境での評価も行われている

図1　安全性評価用シナリオの例

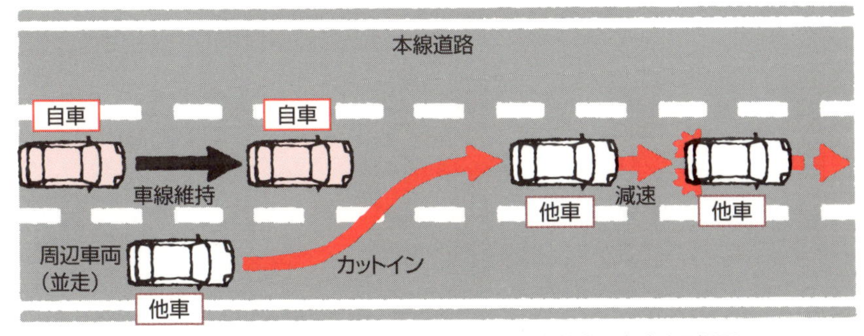

カットイン：自車の隣接車線を走行している車両が自車前方に合流する場面
カットアウト：自車が追従する先行車両が突然隣接車線へレーンチェンジする場面

図2　仮想化による自動運転の評価

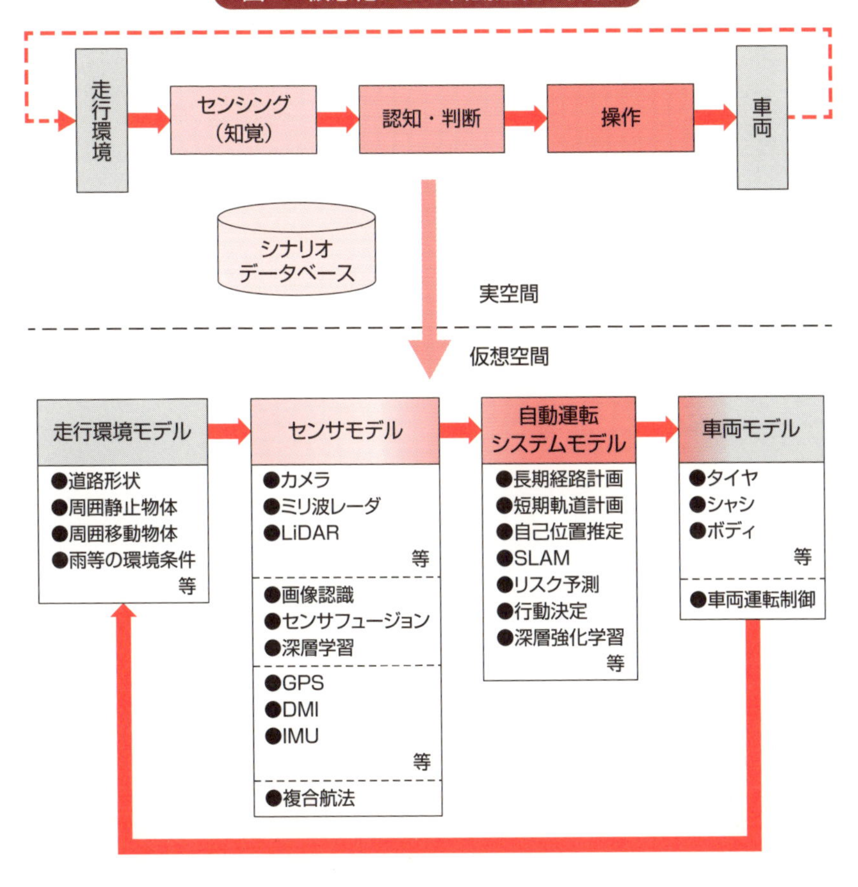

Column

乗り物以外への自動運転技術の応用

自動運転で開発されたセンサや画像認識、制御、ヒューマンマシンインターフェースなどの技術の応用範囲は大変広く、飛行機や車などの乗り物以外にも色々な用途が検討されています。

例えばロボット掃除機では部屋を隈なく効率よく掃除するためにSLAM技術が応用されています。また農業の分野では深刻化している人手不足問題を解決するのに、少ない人数で効率よく広い面積の農作業をこなすために自動運転技術を応用した無人トラクタや田植えロボットが研究開発され、実用化されつつあります。

セキュリティの分野でも自動運転技術の応用が検討されています。２０１７年５月にアラブ首長国連邦のドバイ警察が完全自動運転のパトカーを採用し、パトロールしている様子の動画を公開しました。

２０１６年２月に日産自動車がインテリジェント・パーキング・チェアと名付けた、手をパンと叩くと自ら定位置へ移動して自動収納する椅子の動画を公開したことが話題になりました。同年９月に今度はプロパイロット・チェアと名付けた、列を作って自動的に進む椅子の動画を公開し、また話題を呼びました。飲食店の待ちの行列などで横並びになっている椅子のうちの先頭に座っていた人が立ち上がるとその椅子が自動的に列の最後尾へと移動します。列の他の椅子は前の椅子をカメラで認識して一定の距離を保ちながら追従し、行列を待っている人が座ったままで椅子が自動で一つずつ前に詰めてくれます。２０１８年１月には自動運転技術を旅館の運営に応用してスリッパや座布団などの備品が自動で定位置に戻っていく技術を公開しました。

意外な分野として外科手術などの医療分野への応用があります。１９８６年に脳神経の外科手術を支援する目的でニューロナビゲータと呼ばれる装置が日本で開発、販売されました。その後、カーナビなどの車の運転支援技術の応用によってコンピュータ支援手術（CAS）へと発展し、癌の摘出や人工関節置換手術などにも使われるようになりました。

この本がきっかけになって自動運転で培った諸技術がより多くの分野で応用され、発展につながってゆけば、筆者として大変喜ばしいことです。

ナ

ハ

マ

ヤ

ラ

索引

英数字

ア

カ

今日からモノ知りシリーズ
トコトンやさしい
自動運転の本 第2版

NDC 537

2018年 3月30日 初版1刷発行
2019年10月25日 初版2刷発行
2022年 8月12日 第2版1刷発行

ⓒ著者 クライソン トロンナムチャイ
発行者 井水 治博
発行所 日刊工業新聞社
東京都中央区日本橋小網町14-1
(郵便番号103-8548)
電話 書籍編集部 03(5644)7490
販売・管理部 03(5644)7410
FAX 03(5644)7400
振替口座 00190-2-186076
URL https://pub.nikkan.co.jp/
e-mail info@media.nikkan.co.jp
印刷・製本 新日本印刷(株)

●DESIGN STAFF
AD――――――志岐滋行
表紙イラスト―――黒崎 玄
本文イラスト―――小島サエキチ
ブック・デザイン ―― 大山陽子
矢野貴文
(志岐デザイン事務所)

●
落丁・乱丁本はお取り替えいたします。
2022 Printed in Japan
ISBN 978-4-526-08227-6 C3034

●著者略歴

クライソン トロンナムチャイ
Kraisorn Throngnumchai

1958年、タイ・バンコク生まれ。1976年、来日。1986年、東京大学大学院工学系研究科電子工学博士課程修了。工学博士。同年、日産自動車(株)入社。2018年、日産自動車(株)退社。同年、神奈川工科大学創造工学部自動車システム開発工学科の教授に就任。現在に至る。技術士(電気電子部門、総合技術監理部門)、ソフトウェア開発技術者、第一級陸上無線技術士などの国家資格を保有。
センサや高周波回路、パワーエレクトロニクス技術の自動車への応用研究、自動車用電動システムに関する教育研究などに従事。国立研究開発法人新エネルギー・産業技術総合開発機構(NEDO)のエネルギーITS推進事業、協調走行(自動運転)に向けた研究開発(2008年～2013年)、走行中非接触給電システムの研究開発(2009年～2012年)の研究員、自動車技術会車載用パワーエレクトロニクス技術部門委員会の委員などを務める。2009年に精密工学会画像応用技術専門委員会第15回小笠原賞、2013年に電気学会産業応用部門論文賞をそれぞれ受賞。著書に、「ワイヤレス給電技術入門」(共著、2017年、日刊工業新聞社)、「自動車用パワーエレクトロニクス―基盤技術から電気自動車での実践まで―」(単著、2022年、科学情報出版株式会社)。